KURT LEHMKUHL

Nürburghölle

KURT LEHMKUHL

Nürburghölle

Böhnkes zweiter Fall

TODESFAHRT Der Nürburgring in der Eifel. Beim berühmten 24-Stunden-Rennen werden zwei Fahrer, der Dürener Journalist Helmut Bahn und der Aachener KfZ-Mechaniker Berthold Theberath, in einen schweren Unfall verwickelt. Theberath stirbt. Bahn überlebt, vermutet jedoch einen Anschlag auf sich, da er wenige Tage zuvor einen Drohbrief erhalten hatte. Vor dem Crash sollen zudem zwei Schüsse gefallen sein.

Die Polizei sieht keine Anhaltspunkte für ein Attentat und geht von einem Rennunfall aus. Auch der pensionierte Kommissar Rudolf-Günther Böhnke, den Bahn zum Rennen eingeladen hatte, zweifelt an der Anschlagstheorie. Doch dann erhält der Journalist ein Paket mit grausigem Inhalt und Böhnke nimmt die Ermittlungen auf. In der neuen »Erlebnis-Welt Nürburgring« stößt er auf eine heiße Spur …

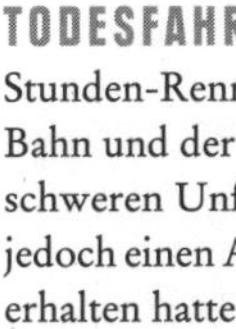

Kurt Lehmkuhl, 1952 in der Nähe von Aachen geboren, studierte Jura in Bonn und lebt heute in Erkelenz. Er ist als Redakteur beim Zeitungsverlag Aachen beschäftigt. Bislang sind 19 Kriminalromane sowie mehrere Kriminalgeschichten von ihm erschienen. »Nürburghölle« ist der zweite Fall für seinen Aachener Ex-Kommissar Rudolf-Günther Böhnke.

MIX
Papier aus verantwortungsvollen Quellen
FSC® C014496

Verlagsgruppe Random House FSC® N001967

Lektorat: Claudia Senghaas, Kirchardt
Herstellung: Alex Stix
Umschlaggestaltung: m-design, Matthias Langer
Bildnachweis: adobestock.com/Patrick Liepertz
Druck: GGP Media GmbH, Pößneck
Printed in Germany
ISBN: 978-3-8094-7071-7

1.

Böhnke hätte nicht behaupten können, dass die unerwartete Einladung bei ihm große Freude oder gar Begeisterung ausgelöst hätte. Im Gegenteil, er war eher verwundert, ähnlich einem CDU-Mitglied, das eine Einladung zu einer SPD-Versammlung erhält, oder einem Genossen, der bei der Union als Hauptredner im Wahlkampf auftreten sollte. Was sollte ausgerechnet er beim 24-Stunden-Rennen auf dem Nürburgring?

Und sicherlich hätte er die Einladung sofort, wie es üblicherweise heißt, mit dem größten Ausdruck des Bedauerns abgelehnt, wenn er nur ansatzweise geahnt hätte, dass durch seine Zusage die ruhige Zeit in seinem verschlafenen Domizil in Huppenbroich für einige Wochen massiv gestört wurde und er wieder mehr in eine kriminalistische Ermittlertätigkeit hineinrutschte, als ihm lieb war.

Aber so …

Der Nürburgring und die Eifel, sie gehören zusammen wie Adam und Eva, Ebbe und Flut oder Sommer und Sonne, eine scheinbar unauflösliche Zweckbeziehung, die nicht immer harmonisch ablief. Böhnke machte sich deswegen keine Gedanken. Obwohl er nun schon seit fast sechs Jahrzehnten am Nordhang der Eifel lebte, hatte er den Nürburgring noch nie besucht. Wahrscheinlich würde ihm diese Abstinenz als Arroganz oder Ignoranz ausgelegt, aber das kümmerte ihn nicht. Der Nürburgring interessierte ihn nicht, weil er sich generell nicht für Autorennen und damit für Autorennstrecken interessierte. Er sah keinen tieferen Sinn darin, im Höchsttempo über eine Piste zu rasen – wenn er einmal davon absah, welche wirtschaftlichen Interessen mit dieser Raserei verbunden waren.

Autorennen waren nicht sein Ding, und so konnte ihm der Nürburgring gestohlen bleiben. Was sollte er also dort?

Böhnke hatte seine Zweifel, ob es sich bei einem Autorennen überhaupt um Sport handelte. Und damit hatte er einen zweiten Grund, weswegen er die Einladung ablehnen würde. Er hatte sich noch nie sonderlich für Sport interessiert, kam nur zwangsläufig mit ihm in Kontakt, wenn es seine frühere berufliche Tätigkeit als Leiter der Abteilung für Tötungsdelikte bei der Kriminalpolizei in Aachen mit sich brachte. Während die Fans der Alemannia scharenweise zu einem Fußballspiel auf den ehemaligen Tivoli geströmt waren, hatte er sich in dem maroden Stadion nur einmal blicken lassen, als er einen Mord im Umfeld des Traditionsvereins aufklären musste. Auch das Weltfest des Pferdesports, der CHIO, in der imposanten Reitsportanlage in der Aachener Soers fast unmittelbar neben seinem Arbeitsplatz im Polizeipräsidium, hatte ihn nur ein einziges Mal gereizt. Das war vor rund zwei Jahren gewesen, als er den letzten Fall in seiner beruflichen Karriere löste, bevor er aus gesundheitlichen Gründen in den vorzeitigen Ruhestand versetzt worden war.

Sein geringes Interesse für den Sport hatte sich deutlich gezeigt, als er es ablehnte, als Ehrengast wegen seiner Verdienste für die Alemannia bei der Eröffnung des neuen Tivoli direkt neben dem Reitstadion teilzunehmen. Böhnke war lieber zu Hause geblieben in Huppenbroich, statt nach Aachen zu fahren. Hier, in dem knapp 400-

Seelen-Dorf, lebte er nach dem Umzug aus der Kaiserstadt in seiner Wohnung, die eigentlich die Ferienwohnung seiner langjährigen Lebensgefährtin war. Hier, in diesem umgebauten Hühnerstall fühlte er sich wohl, hier hatte er seine Ruhe, hier konnte er in der Idylle der harmonischen Eifellandschaft sein Leben genießen oder, wie er unverblümt und ohne Bedauern sagte, die letzten Tage seines irdischen Daseins, bevor er das Zeitliche segnen musste. Seine Lebensperspektive und Erwartung für das Alter waren nicht die Besten. Jeder Tag konnte sein letzter sein auf Erden. Von jetzt auf gleich, ohne jegliche Vorwarnung konnte die tückische Erkrankung zuschlagen, unter der er litt und für die die Ärzte keinerlei Erklärung liefern konnte. Heilungschancen sahen die Mediziner nicht, bei regelmäßigen Blutuntersuchungen konnten die Internisten allenfalls feststellen, dass es in seinem Blutbild keine gravierenden Verschlechterungen gegeben hatte, aber sie konnten nicht feststellen oder gar bewirken, dass sein Blutbild bessere Werte aufweisen würde. Sein Blut verlor mehr und mehr die Fähigkeit, Sauerstoff zu transportieren. Warum? Was war dagegen zu tun? Wie war der Verlust zu stoppen? Wie konnte geholfen werden? Fragen über Fragen, aber keine einzige Antwort. Mit dieser Erkenntnis musste Böhnke leben, und er hatte sich vorgenommen, wegen dieser Erkenntnis den unbestimmten Rest seines Lebens zu genießen, ihn so zu gestalten, wie er es sich vorstellte.

Dazu gehörten die tagtäglichen Spaziergänge durch Huppenbroich, durch den tagsüber nahezu menschenleeren Ort mit den vielen frei stehenden Häusern unterschiedlicher Architektur, Bauweisen und Zeiten, den vielen Buchenhecken und dem traumhaften Buchenwald, durch den er so gerne wanderte, wenn er bei guter Laune und in vermeintlich guter körperlicher Verfassung den Weg nach Eicherscheid unter die Füße nahm. Er war richtig stolz auf sich, wenn er die fünf Kilometer lange Strecke spazieren konnte, um mit dem letzten Linienbus von Eicherscheid nach Simmerath abends in sein Buchendorf zurückzukehren. Auch den Weg durch das Tiefenbachtal und zurück schaffte er an guten Tagen. Insofern hatte sich sein gesundheitlicher Zustand stabilisiert, schlug das ruhige, sorglose Leben an, bekam er die Restzeit geschenkt, die er im stressigen Beruf garantiert nicht gehabt hätte. »Da wärst du schon lange tot«, hatte ihm seine Liebste Lieselotte Kleinerreich, die als Apothekerin in Aachen ihren Lebensunterhalt verdiente, sachlich und doch liebevoll gesagt. Sie freue sich über jeden einzelnen Tag, den sie mit ihrem Commissario verbringen könne.

Und so versuchte er, sein Leben zu genießen, nein, Böhnke genoss es so, wie er es genießen konnte. Dazu gehörten auch, wie er sich insgeheim zufrieden eingestand, die nicht alltäglichen Unterbrechungen krimineller Art. Immerhin hatte er im vergangenen Jahr in den ersten Monaten seiner Ruhezeit zwei Verbrechen aufklären können, die ohne ihn wahrscheinlich nicht in der, aus seiner Sicht, richtigen Form aufgeklärt worden wären. Insofern genoss er das wenige Leben, das er noch hatte, aber dazu gehörte es sicherlich nicht, eine Einladung zum 24-Stunden-Rennen auf dem Nürburgring anzunehmen. Da spazierte er doch lieber durch Huppenbroich oder speiste mit seiner Liebsten am Sonntag beim Brunch in der umgebauten und modernisierten Dorfgaststätte ›Zur alten Post‹.

Nein, würde er seinem Gastgeber sagen, er könne die Einladung zum 24-Stunden-Rennen aus gesundheitlichen Gründen nicht annehmen.

Selbstverständlich und gerne nehme er die Einladung auf den Nürburgring an, heuchelte er am Telefon, als er seinen Gastgeber von seiner Zusage informierte. Er wisse gar nicht, wie er zu dieser Ehre komme.

Selbst schuld, schimpfte er mit sich, während er auf eine Antwort seines Gesprächspartners wartete. Warum bloß hatte er die Einladung nicht sofort zerrissen und über das Angebot geschwiegen, statt es seiner Liebsten zu zeigen, als sie am Wochenende aus Aachen nach Huppenbroich gekommen war?

»Ist doch wohl klar, dass wir dahin fahren«, hatte sie entschieden und Böhnke dabei herzallerliebst angelächelt. Da konnte er nicht mehr widersprechen. Er hätte gar nicht gewusst, dass sie ein Faible für den Autorennsport habe, staunte er über diese Seite ihres Wesens, die ihm bislang verborgen geblieben war. Was ihn wiederum wunderte, glaubte er doch, sie gut zu kennen.

»Habe ich auch nicht«, hatte sie kess wie eine junge, abenteuerlustige Frau gesagt, »aber ich habe etwas anderes im Sinn.« Es sei wegen der Schönheit, weshalb sie mit ihm zu seiner Tour zum Nürburgring mitfahre. Sie lachte erneut auf, als sie Böhnkes verständnislosen Blick wahrnahm.

»Commissario, du hast die Einladung nicht einmal richtig gelesen«, tadelte sie ihn milde. »Wir«, und damit hatte sie sich kurz entschlossen mit eingeladen, »wir sind für die Nacht im Dorinthotel am Nürburgring untergebracht. Sogar mit Blick auf die Rennstrecke. Aber das ist mir gar nicht so wichtig. Hier«, sie wedelte mit der Einladung, »hier steht geschrieben, dass zum Angebot des Hotels auch eine Wellness-Oase gehört mit Saunen, Massagen und allem möglichen Schnickschnack, der dazugehört.« So ein Angebot dürfe man sich einfach nicht entgehen lassen, zumal es umsonst sei. »Wir können beide etwas für die Gesundheit und die Schönheit tun, Rudolf-Günther. Schließlich sind wir beide nicht mehr die Jüngsten.«

Was sie bloß auf einer Schönheitsfarm wollte, brummte er, wissend, dass er sich bereits in einem Rückzugsgefecht befand. Sie hatte sich längt entschieden, die Einladung zu dem Autorennen anzunehmen. »Du bist schön und attraktiv.« Er musterte seine langjährige Lebensgefährtin, der wohl niemand die 55 Lebensjahre ansehen würde trotz der kurz geschnittenen, grauen Haare. Sie war schlank und stets elegant gekleidet, wobei er sie am liebsten in weißer Bluse und Jeans sah. Sie wusste es und trug in Huppenbroich stets seine an ihr geschätzte Lieblingskleidung. Im Gegenzug zwängte er sich in Schlips und Anzug, wenn sie ihn in Aachen ausführte und er dort nicht bei einem Theaterbesuch wie ein Junge vom Land aussehen sollte. Die formelle Kleidung hatte er mit dem Berufsende an den Haken gehängt. Jetzt mochte er es lieber leger, wobei er mit seiner Farbkombination von Hemd, Jeans und Pullover nicht immer das ästhetische Empfinden seiner Partnerin erfüllte.

»Für die Schönheit kann man gar nicht genug tun, mein Lieber. Die Lackschäden kommen plötzlich und quasi über Nacht. Da kann es wirklich nicht von Schaden sein, die Hohlraumversiegelung und die Lackauffrischung rechtzeitig zu beginnen.«

»Du redest wie von einem Auto«, knurrte er.

»Passt doch«, lachte sie. »Wir fahren doch zu einem Autorennen, wenn ich mich nicht irre.«

Es gab noch einen zweiten Grund, der Böhnke dazu bewog, die Einladung trotz seiner Unlust anzunehmen, nachdem dies im Prinzip schon beschlossen war. Sein Gastgeber hatte offensichtlich weder Kosten noch Mühen gescheut, um ihm dieses Wochenende auf dem Nürburgring anzubieten. Er müsste eine horrende Summe für die Hotelbuchung bezahlt haben, wenn der Betrag stimmte, den ihm seine Partnerin nach ihrer Internetrecherche genannt hatte. Da wäre es geradezu eine Beleidigung gewesen, diese Einladung kurzerhand auszuschlagen.

»Wie komme ich zu der Ehre?« Seine wiederholte Frage hatte er mehr aus Gründen der Höflichkeit gestellt, denn aus Interesse. Obwohl ... Er konnte in etwa erahnen, warum er die, bei Fans von Autorennen wahrscheinlich sehr begehrte, Einladung erhalten hatte.

»Es war mir ein großes Anliegen, mich bei Ihnen zu bedanken, und dabei kam mir die Idee, das Angenehme mit dem Nützlichen zu verbinden.« Der Journalist Helmut Bahn kam ohne Umschweife direkt auf den Punkt: »Ihnen habe ich es zu verdanken, dass ich einen neuen Job bekommen habe. Und da ich selbst am 24-Stunden-Rennen teilnehme, habe ich mir gedacht, es sei eine gute Gelegenheit, Sie dort zu treffen und Ihnen eine Freude zu machen. Sie interessieren sich doch bestimmt für Autorennen. Oder irre ich mich etwa?«

Er habe bislang keine Möglichkeit gehabt, an einem Autorennen als Zuschauer, geschweige denn als Rennfahrer teilzunehmen, antwortete Böhnke ausweichend. Jetzt freue er sich, einmal dafür Zeit zu haben und dabei zu sein und bei dieser Gelegenheit auch noch Bahn wiederzusehen.

Die Freude sei ganz auf seiner Seite, versicherte der Journalist aus Düren. »Wenn Sie mir nicht im letzten Herbst die Exklusivgeschichte mit den Frauenmördern aus dem Dreiländereck gegeben hätten, wäre ich jetzt wahrscheinlich Stammkunde beim Arbeitsamt.« So habe er eine Anstellung bei einem Nachrichtenmagazin erhalten. »Die brauchten einen Journalisten, der für sie das Rheinland betreut, und sind durch die Geschichte auf mich aufmerksam geworden.«

Das, was Bahn so sachlich als Geschichte bezeichnete, war ein gewaltiger Skandal gewesen, an dem etliche Mitglieder der sogenannten besseren Gesellschaft oder der oberen Zehntausend beteiligt gewesen waren. Bahn hatte die von Böhnke gelieferten Informationen geschickt über mehrere Artikel in einer Serie verteilt, die er an fast alle Zeitungen und Zeitschriften in Deutschland, Belgien, den Niederlanden und Luxemburg sowie sogar auf die Kanarischen Inseln verkauft hatte. Durch den finanziellen Erlös konnte er leicht die Entlassung verkraften, die er nach der Auflösung des Dürener Tageblatts zum Jahreswechsel erhalten hatte. Ihm war zwar fristlos gekündigt worden, weil er über die Köpfe seiner Chefredakteure in Köln hinweg die Geschichte an die anderen Medien verkauft hatte, statt sie exklusiv seiner Zeitung zur Verfügung zu stellen, wozu er vertraglich verpflichtet gewesen wäre, aber ihm wäre ohnehin gekündigt worden, weshalb ihn dies nicht sonderlich kümmerte. Er hatte auf Anraten eines befreundeten Anwalts dagegen geklagt, im Zuge einer Abfindung hatte er die Klage aber zurückgenommen. Der Verlag wollte sich diesen arbeitsgerichtlichen Prozess nicht auch noch ans Bein binden. Er hatte noch genug mit der Kündigung der anderen, freigestellten Mitarbeiter in der aufgelösten Dürener Redaktion zu tun.

»Sie werden ein Spektakel der Sonderklasse erleben«, behauptete Bahn in seiner forschen Art. »Das 24-Stunden-Rennen ist das größte motorsportliche Ereignis in Deutschland und viel wichtiger als das Formel-1-Rennen im Sommer.«

Böhnke konnte dazu nichts sagen. Das war einfach nicht seine Welt.

»Da kommen so an die 100.000 Menschen in die Eifel, mehr als 150 Rennwagen gehen an den Start. Mit diesem Frühjahrsrennen beginnt quasi die Saison auf dem Nürburgring. Das ist Motorsport pur und Remmidemmi ohne Ende«, begeisterte sich Bahn. »Das ist ein tolles Gefühl, wenn sie über die Strecke rasen, und am Rand stehen die Massen und jubeln ihnen zu. Und Sie sind mittendrin mit den besten Plätzen im Hotel, im Fahrerlager und in der Boxengasse. Na ja. Ich wollte Sie ja nicht wie die echten Fans auf einem Campingplatz mit Zelt und Grill unterbringen. Für Sie sollte es schon etwas gehobener sein. Sie und Ihre Begleitung, ich nehme an Ihre Partnerin, gehören zum kleinen, erlauchten Kreis der VIPs. Auf eine solche Gelegenheit warten andere schon seit ewigen Zeiten oder bis zum Tode.«

»Wie komme ich zu dieser Ehre?« Eine andere Frage fiel Böhnke gar nicht mehr ein.

Er habe dank seiner guten Beziehungen zum Kassenwart des veranstaltenden Automobilklubs das Arrangement quasi zu einem Freundschaftspreis bekommen, gab Bahn unumwunden zu. »Und da habe ich sofort an Sie gedacht. Sie haben mir geholfen, mich gewissermaßen vor Arbeitslosigkeit und Armut gerettet. Da ist diese Einladung nur ein bescheidenes Dankeschön.« Er möge rechtzeitig kommen, riet ihm der Journalist abschließend. Das Rennen beginne um 14 Uhr, vorher gebe es aber bei der Startaufstellung noch vieles zu sehen. »Außerdem wird auf den Straßen rund um den Nürburgring massig Verkehr herrschen. Da müssen Sie schon am frühen Morgen von Ihrem geliebten Huppenbroich aufbrechen«, gab er Böhnke als Ratschlag mit auf den Weg.

2.

Ungeduld war keine Eigenschaft, die sich Böhnke nachsagen ließ. Doch strapazierte seine Lebensgefährtin momentan seine Geduld sehr. Obwohl sie Bahns Ratschlag eher beherzigen wollte als Böhnke, war sie es, die den Zeitplan am Samstag gehörig über den Haufen warf.

Frühmorgens führte ihre Fahrt nicht wie geplant nach Süden in die Eifel, sondern nordwärts in die Stadt Karls des Großen. Sie müsse unbedingt noch einmal in der Apotheke nachschauen, hatte sie beim Frühstück im Hühnerstall gemeint. Sie habe wahrscheinlich gestern vergessen, ein bestimmtes Medikament zu bestellen, und traue ihren Angestellten nicht zu, ihren Fehler zu erkennen und zu beheben. Es ginge schnell, versicherte sie, aber am Telefon wollte sie die Sache nicht klären, weil sie nicht bis zur Öffnung des Geschäfts warten wollen.

Jeder Chef ist nur so gut wie sein schlechtester Mitarbeiter, knurrte Böhnke, was ihm prompt einen bitterbösen Blick seiner Tischnachbarin einbrachte.

»Wir müssen nach Aachen. Ich kann und will die Sache nicht am Telefon erledigen. Dann wird es noch später«, hatte sie bestimmt.

Seufzend beugte sich Böhnke ihren Worten. Was sollte er auch mosern? Schließlich war sie Herrin über den Autoschlüssel. Außerdem war sie es, die arbeitete, er hingegen kassierte die Pension fürs Nichtstun und das Warten auf den Tod.

»Ohne Medikamente wärst du längst hin«, hatte sie schlagkräftig argumentiert. »Und das Medikament braucht ein anderer Kranker, um am Leben zu bleiben. Das ist wohl wichtiger als eine Lustfahrt zum Nürburgring.« Das Rennen dauere ohnehin 24 Stunden. Sie würden es nicht verpassen, selbst wenn sie sich später auf den Weg machten.

Also übte sich Böhnke in Geduld und ließ sich von seiner Liebsten in die Printenstadt am Nordrand der Eifel kutschieren. An die elend lange Fahrt über die Bundesstraße durch das Millionärsdorf Roetgen würde er sich nie gewöhnen, das Dorf schien einfach nicht enden zu wollen, immer wieder gab es am linken Straßenrand Einkaufszentren, Großgeschäfte oder Hotels. Ob sie nicht in Roetgen eine Apotheke aufmachen wolle, hatte er sie einmal gehänselt. Hier in dem Ort mit der statistisch gesehenen größten Zahl von Millionären in der Einwohnerschaft ließen sich bestimmt gute und teure Medikamente verkaufen.

Die Masse machts, hatte seine Apothekerin pragmatisch entgegnet. Außerdem sei sie eine geborene Aachenerin und keine zugereiste Eifelbürgerin. Bevor er etwas entgegnen konnte, hatte sie seinen gedachten Kommentar schon entkräftet. »Ich kann doch nichts dafür, dass ich in Huppenbroich einen Hühnerstall geerbt habe. Und als Zweitwohnung hast du ja alle Vorteile davon, mehr jedenfalls als wie ich echter Öcher.«

Böhnke schob sich in den Sitz zurück und betrachtete stumm, wie sie über die Himmelsleiter gen Aachen fuhr. Die Hauptstrecke war aus irgendwelchen Gründen gesperrt. Sie mussten notgedrungen auf der Nebenstrecke über Kornelimünster stadteinwärts. Nur schleichend kamen die

Autos voran auf der schmalen, völlig überlasteten Straße, die nicht für Durchgangsverkehr ausgelegt war. An der beampelten Kreuzung in Kornelimünster, an der sie wie die meisten von der Nebenstraße links auf eine Bundesstraße abbiegen mussten, warteten sie eine gefühlte Ewigkeit. Über Brand und den Adalbertsteinweg fuhren sie fast im Schritttempo in die Aachener Innenstadt, in der erwartungsgemäß der Autoverkehr wegen der Fülle beinahe zum Erliegen kam.

Unendlich lange kam es Böhnke vor, bis sie endlich die Apotheke im Herzen der Stadt erreicht hatten, unendlich lange erschien ihm die Wartezeit im Wagen, den er im Halteverbot bewachte, um möglicherweise fortzufahren, falls eine Politesse aufkreuzen wollte. Derweil wuselte seine Liebste in der Apotheke herum. Er hatte es sich schon gedacht, dass sie nicht nur, wie versprochen, auf einen Sprung in ihrem Geschäft nachschauen würde. Sie hatte garantiert einiges gesehen, das sie noch schnell ändern wollte, und es gab garantiert einiges zu tun, das sie anpacken müsste – wo sie doch schon einmal da war.

Böhnke trommelte bereits mit den Fingern auf das Lenkrad, ein Zeichen, dass sein Zustand der reinen Geduld abgelöst worden war von einem Zustand der leichten Anspannung. Aber es müsste noch viel passieren, bevor er ungeduldig oder gar verärgert den Polo verlassen und in die Apotheke stürmen würde. Das war so ein Zeitpunkt, an dem aus dem ›Liesel‹ des Vornamens seiner Lebensgefährtin Lieselotte das strengere ›Lotte‹ wurde. Er hatte das Radio eingeschaltet und hörte im Verkehrsfunk, dass wegen des 24-Stunden-Rennens auf dem Nürburgring rund um die Rennstrecke mit vermehrtem Verkehrsaufkommen zu rechnen sei. Jeder, der nicht unbedingt in die

Eifel wolle, sollte den Bereich des Nürburgrings weiträumig umfahren und nach Möglichkeit die Autobahn nach Trier meiden.

Das konnte ja heiter werden, dachte sich Böhnke. Er erschrak förmlich, als es an der Seitenscheibe klopfte.

»Lass mich fahren«, meinte Lieselotte. »Ich fahre schneller als wie du lahme Ente.«

Da hatte sie sicherlich recht. Er blieb lieber etwas länger an der Kreuzung stehen, als es unbedingt erforderlich war, er bremste immer, wenn an der Ampel das Licht von Grün auf Gelb umsprang, anstatt zu beschleunigen, und er überholte auch nur äußerst selten und ungern. Deshalb ärgerte ihn die Aufforderung, auf den Beifahrersitz zu wechseln, keineswegs. Es war ihm durchaus angenehm, chauffiert zu werden.

Wie er fast schon vermutet hatte, aber sich nicht getraut hatte auszusprechen, war die Fahrt nach Aachen überhaupt nicht erforderlich gewesen. Die Mitarbeiterin hatte sofort bei Dienstantritt das Medikament bestellt, nachdem sie das Versäumnis ihrer Chefin festgestellt hatte. »Es geht eben nichts über gute Kolleginnen«, freute sich die Fahrerin. »Ein guter Chef ist halt so gut wie seine guten Mitarbeiter, die nur deshalb so gut sind, weil ihre Chefin gut ist. Aber das kapiert ihr Kerle in eurem ständigen Konkurrenzneid ja doch nicht.«

Böhnke blieb stumm und machte sich seine Gedanken. Warum sollte er auch auf diese Sticheleien eingehen? Er verstand nur nicht, warum sie nun so lange in der Apotheke geblieben war, da doch das angebliche Problem längst gelöst war.

»Wenn ich schon einmal da bin, kann ich auch mal schnell aushelfen. Es war richtig viel zu tun.« Und dann habe sie noch Frau Müllejans bedient, die ihr unbedingt erzählen musste, dass Frau Wilhelmy ihr berichtet hatte, dass Frau Jerusalem sich mit Frau Noppeney gestritten hatte, die wiederum mit Frau Müllejans befreundet ist und die deshalb den Streit ganz anders dargestellt habe, als Frau Müllejans vorher von Frau Wilhelmy gehört hatte.

Böhnke schaltete ab. Als ob es keine anderen Probleme gab als die von Frau Müllejans, Frau Wilhelmy, Frau Jerusalem und Frau Noppeney! Er sah vielmehr ein Problem darin, zum Nürburgring zu kommen. Wenn er schon eingeladen war und widerwillig die Einladung angenommen hatte, dann wollte er nun gefälligst auch hin.

Sie wisse gar nicht, was er wolle, meinte seine Liebste, als sie endlich bei Sonnenschein und fast schon sommerlichen Temperaturen zügig durch die Eifel rollten, nachdem sie aus Aachen hinaus waren und hinter Monschau auf der Bundesstraße südwärts fuhren.

»Wir sind doch pünktlich da. Du kannst dich mit Bahn amüsieren und ich mich in der Wellness-Oase.«

Ihr Optimismus schwand, je näher sie der Rennstrecke im Herzen der Eifel kamen. Sie hatten den speziellen Verkehrsfunk eingestellt, auf den auf großen Tafeln am Wegesrand hingewiesen wurde, den der Nürburgringrundfunk auf einer eigenen Frequenz als Service an Renntagen anbot, und sie erfuhren, dass etliche Kilometer rund um die Rennstrecke der Autoverkehr nahezu zum Erliegen gekommen sei. Wegen des überraschend guten Wetters würden mehr Rennsportfreunde als erwartet den Weg zur Rennstrecke finden. Der Veranstalter rechne mit einem neuen Zuschauerrekord mit weit mehr als 120.000 Fans entlang der Piste.

Was diese Verkehrswarnung konkret bedeutete, bekamen

Böhnke und seine Apothekerin eindrucksvoll in Schleiden geboten, noch etliche Kilometer vom Nürburgring entfernt. In dem Städtchen kreuzten sich die Bundesstraßen aus Richtung Aachen nach Koblenz und aus Richtung Köln nach Trier. Am Stoppschild mussten sie sich lange gedulden.

»Du würdest niemals über diese Kreuzung kommen«, meinte Böhnkes Liebste vorbeugend und er musste ihr insgeheim zustimmen. Mit seinem ruhigen und gemächlichen Fahrstil wäre er an dieser Kreuzung wahrscheinlich ein mobiles Verkehrshindernis.

Was reizte die Menschen bloß, in dieser geballten Macht einem gemeinsamen Ziel zuzustreben? Böhnke fühlte sich in seiner Einschätzung bestätigt, dass er richtig daran tat, sich nicht für Autorennen und speziell nicht für Autorennen auf dem Nürburgring zu interessieren. Der einzige Vorteil der Schleichfahrt war das Ausbleiben von riskanten Überholvorgängen oder Rasern, sagte sich Böhnke, positive Aspekte der Situation suchend.

Plötzlich ging es überraschend schnell. Die von Bahn der Einladung beigefügten Passierscheine bewirkten Erstaunliches. Als wahres Wunder hätte er es jedoch nicht bezeichnet, dass sie bei Kontrollen vor Straßensperren von der Polizei und zivilen Wachdiensten durchgewunken wurden und sie danach fast allein auf der Straße fuhren; ein wahres Wunder war für ihn allenfalls der Umstand, dass er im Orchester der Lebenden, wenn auch nicht als dominierender Streicher, immer noch mitspielen durfte.

Trotz der zügigen, freien Fahrt auf den letzten Kilometern kamen sie mit erheblicher Verspätung an ihrem Ziel an. Sie hatten auf dem Parkplatz des Dorinthotels den kleinen Polo geradezu schon provozierend in die Reihe der Luxuskarossen eingefügt und sich an der Rezeption gemeldet.

Selbstverständlich sei die Sauna geöffnet und gebe es die Möglichkeit einer Massage, hatte die junge Frau am Schalter erstaunt bestätigt. Ihr Gesichtsausdruck stellte wortlos die Frage, wieso jemand ausgerechnet jetzt den Wellness-Bereich aufsuchen wollte, da nebenan das Rennen im Gange war. Gerade deshalb, hätte die Apothekerin geantwortet, wäre ihr die Frage tatsächlich gestellt worden.

Das ihnen zugewiesene Zimmer übertraf alle Erwartungen, war nicht nur ausreichend und ansprechend möbliert, sondern verfügte auch über eine breite Fensterfront und einen davor gelagerten Balkon, wovon es einen ungestörten Blick auf die Rennstrecke und die linksseitig gelegenen Gebäude auf der anderen Seite der Piste gab. Böhnke trat erschrocken einen Schritt zurück, als er die Balkontür öffnete. Mit ohrenbetäubendem Lärm schossen nur wenige Meter von ihm entfernt Rennwagen vorbei in einer einfach nicht enden wollenden Reihe. Schnell verschloss er wieder die Tür und richtete seinen Blick auf mehrere Monitore, die an einer Seite des Zimmers an der Wand hingen. Ein Bildschirm zeigte eine sich ständig aktualisierende Reihenfolge mit Nummern und Zeiten, die anderen brachten bewegte Bilder vom Rennen an verschiedenen Abschnitten der Rennstrecke und aus der Boxengasse. Böhnke war schlichtweg von dieser Informationsfülle überfordert. Aber er würde sich, so tröstete er sich, schon zurechtfinden. Er hatte ja schließlich noch fast 22 Stunden Zeit und außerdem eine wahrscheinlich ruhige Nacht vor sich, denn in das Zimmer drang absolut nichts von dem Lärm der Rennwagen hinein.

Er habe ein Problem, meinte Böhnke an der Rezeption. Ein Plastikkärtchen, das der Einladung beigefügt war, hatte er sich um den Hals gehängt. Es sei so eine Art Freifahrtschein, hatte Bahn im Begleitschreiben behauptet. Böhnke müsse es unbedingt immer bei sich haben während des Rennens. Er wolle auf die andere Seite der Rennstrecke, habe aber weder einen Zebrastreifen noch eine Fußgängerampel gefunden.

Die Rezeptionistin konnte nicht einmal mehr über diese abgedroschene witzige Bemerkung lachen, wahrscheinlich hatte sie sie schon zu oft gehört. Er solle ins Hauptgebäude nebenan gehen. Von dort führe eine Treppe zu einem Tunnel, der im Fahrerlager ende. Dort könne er sich dann durchfragen. Sie selbst habe keine Ahnung, welcher Rennfahrer im Moment in welchem Rennwagen auf welchem Platz an welcher Stelle des Rings unterwegs sei oder wer gerade pausiere. Sie selbst könne sich Besseres vorstellen, als auf die Monitore zu schauen.

»Was denn?«, entfuhr es Böhnke.

»Wenn ich dieses sonnige, warme Wetter sehe, wüsste ich, was ich lieber täte, als hier zu hocken. Ich würde mich in einer Liege von der Sonne bräunen lassen. Solch ein Sonnenschein zu dieser Jahreszeit in der Eifel, das ist einfach nicht mehr normal.«

Böhnke schwieg zu dieser meteorologischen Betrachtung und machte sich auf den zutreffend beschriebenen Weg, fand auch die Box 13, in der er Bahn antreffen sollte.

»Da haben Sie aber Glück«, begrüßte ihn der Journalist durchaus erfreut. »Ich bin in ein paar Minuten an der Reihe, wenn mein Kollege seine Runde absolviert hat.« Eine spektakuläre Aktion habe Böhnke schon verpasst: den Start, bei dem im Minutenabstand die drei Felder mit jeweils 60 Fahrzeugen losgeprescht wären.

Böhnke hätte Bahn fast gar nicht erkannt und wäre wahrscheinlich an ihm vorbeigelaufen, wenn er sich nicht zu erkennen gegeben hätte. Der Mittvierziger trug eine weiße Stoffhaube, die nur die Augenpartie frei ließ, und war mit einer weißen Rennmontur gekleidet, die übersät war mit allen möglichen Aufklebern.

»Alles Werbung«, lächelte Bahn, der sich auf den Weg vor die Box machte, einen Rennfahrerhelm lässig unter den linken Arm geklemmt. Mit der Werbung finanziere sein Freund das Journalistenteam. »Wir sind drei Kollegen, die in diesem Jahr auf Einladung eines Dürener Unternehmers, mit dem ich befreundet bin, mit einem getunten Mercedes am Rennen teilnehmen dürfen.« Bahn schaute sich um und winkte einen jungen Mann zu sich. »Das ist mein Kollege Lars aus Erkelenz. Unser Freund Siggi aus der Schnee-Eifel ist der dritte Mann in unserem Bunde. Siggi heißt eigentlich Wilfried, der aber von aller Welt aus unerklärlichen Gründen nur Siggi genannt wird. Er versucht momentan, unfallfrei über die Strecke zu kommen.« Das sei gar nicht so einfach, denn er habe einen kleinen Defekt am Wagen festgestellt. »Da klappert wohl etwas. Deshalb kommt er auch schon eine Runde früher an die Box, als nach unserer Einteilung geplant, und wechsele ich früher als beabsichtigt hinters Lenkrad.«

Böhnke hörte schweigend zu. Er hatte Mühe, alles zu verstehen bei dem Lärm, den die vorbeischießenden Rennwagen erzeugten. Sollte ihn das Geschehen interessieren oder sollte er es als für sich belanglos empfinden? Er war sich noch nicht schlüssig.

Er bekam nur am Rande mit, wie Bahn ihm die Zahlenfolgen auf den Monitoren erklärte, die nicht nur in dieser, an beiden Seiten offenen Garage an den Wänden hingen, sondern überall zu finden waren, wie Böhnke schon bei seinem Gang zu Bahns Stellplatz festgestellt hatte. Er schaute über die Rennpiste, auf der nach wie vor wie auf einer Kette gereiht schnellere und weniger schnellere Rennwagen ohrenbetäubend an ihm vorbeischossen. Es handelte sich nicht, wie er gedacht hatte, um Flitzer wie bei den Autorennen, von denen er gelegentlich Ausschnitte in Nachrichtensendungen mitbekam, sondern anscheinend um Tourenwagen, die nur gewaltig von den Fahrern oder ihren Mechanikern aufgemöbelt worden waren. Er blickte auf die gegenüberliegende Seite, erkannte links hinten die stufenförmig angelegten Baukörper des Dorinthotels und daran anschließend bis zum rechten Rand seines Blickfeldes die hoch aufragenden, modernen Tribünen, die rappelvoll waren.

»Ist ja echt was los hier«, kommentierte er. Er wollte schon den Eindruck erwecken, als würde ihn das Geschehen interessieren, allein schon aus Gründen der Höflichkeit, obwohl er dem Rummel noch nicht viel Gutes abgewinnen konnte.

»Das ist doch gar nichts. Sie müssen mal raus auf die Strecke. Wenn Sie da die Fans sehen, die entlang der Fahrbahn campieren, dann erleben Sie Faszination pur. Hier im Motodrom halten sich in erster Linie die eingeladenen Gäste auf. Die richtigen Fans finden Sie da draußen, außerhalb der großen Tribünen in der grünen Hölle.« Der Mann, den Bahn als seinen Kollegen Lars vorgestellt hatte, redete sich geradezu in eine Begeisterung hinein. »Da draußen, und nur da draußen, da erleben Sie den wahren Mythos Nürburgring.«

Er werde sich darum kümmern, dass Böhnke zu einigen markanten Stellen komme, mischte sich Bahn ein. »Wir haben hier einen speziellen Fahrdienst für VIPs, der bringt Sie überall hin, wohin Sie auch wollen.« Er reichte Böhnke die Hand. »Für mich wird es jetzt ernst. Siggi rollt an die Box. Wünschen Sie mir viel Glück.«

Einer Bitte der hektischen Mechaniker nachkommend, hielt sich Böhnke am äußeren Rand der großen Garage auf. Es könne ihm anderenfalls passieren, dass er im Gewusel über den Haufen gerannt oder gar überfahren werde, hatte man ihn gewarnt.

Zügig, nach Böhnkes Ansicht viel zu schnell, kam der Mercedes auf die Box zugefahren. Im letzten Moment bremste der Fahrer abrupt, und sofort sprangen mehrere Mechaniker auf den Wagen zu.

Böhnke hatte Schwierigkeiten, in dem Rennwagen eine familienfreundliche, bequeme Limousine aus dem Hause Daimler-Benz wiederzuerkennen. Nur mit viel Fantasie ließ sich das Original ausmachen. Der Rennwagen mit der Nummer 472 vor ihm war nicht nur auf der Karosserie von Werbung überhäuft, er hatte im Inneren nichts, was an einen Personenwagen erinnerte, und verzichtete sogar auf das markante Wahrzeichen des Herstellers auf der Motorhaube. Stahlrohre verliefen quer im Innenraum des Gefährts, aus dem sich aus einer schmalen, nicht gerade bequem aussehenden Sitzschale der Fahrer schälte.

Viel konnte Böhnke von Siggi nicht erkennen. Der Mann war kleiner als Bahn. Er trug einen Rennoverall, der Bahns ähnelte, und einen Helm, der das Gesicht fast völlig verdeckte. Der Helm kam Böhnke überdimensioniert vor im Vergleich zur sonstigen Rennfahrermontur.

Siggi machte sich keine Mühe, den Helm abzustreifen. Er hatte das Visier hochgeklappt und redete auf Bahn ein, der unentwegt nickte. Dann kletterte der Journalist aus Düren, mit einem kameradschaftlichen Klaps auf die Schulter versehen, in das Fahrzeug. Siggi war noch nicht einmal in der Garage verschwunden, da hatte Bahn sich schon in der Boxengasse in die Spur eingefädelt und schoss auf der Rennstrecke auf die runde Mercedes-Tribüne zu.

Wenn das mal gut geht, dachte sich Böhnke beunruhigt, während er dem Wagen hinterherschaute. Er würde dem Fahrer beide Daumen drücken.

3.

Er sehe sehr nachdenklich aus, meinte der Kollege von Bahn, der sich als Lars Krupp vorstellte. Er hatte sich von hinten unbemerkt genähert und Böhnke angesprochen, der an der hüfthohen Betonwand stand, die die Boxengasse von der Rennstrecke trennte. Die Rennwagen schossen unentwegt an ihm vorbei. Permanent überholten große und schnellere Fahrzeuge die kleineren und langsameren, die den üblichen Straßenfahrzeugen noch eher ähnelten als die Geschosse auf vier Rädern.

Böhnke nickte und wandte sich Krupp zu. »Ist schon verdammt gefährlich und nicht unbedingt mein Ding. Haben Sie denn keine Angst, sich in das irre Getümmel zu begeben?« Er betrachtete den schlanken, mittelgroßen Mann Anfang oder Mitte 30.

Krupp trug auch den Rennoverall, hatte aber den Reißverschluss über der Brust heruntergezogen. Darunter zeigte sich die weiße Schutzwäsche. »Ein bisschen Risiko ist immer dabei«, antwortete der Journalist ruhig. »Nur wenn du tot bist, gehst du keins mehr ein. So ist halt das Leben.« Er verzog sein Gesicht zu einem lakonischen Grinsen. »Aber heute spielt wenigstens einmal das Wetter mit. Das ist doch auch etwas.«

Böhnke verstand nicht. Er hatte Temperatur und Sonnenschein als typisches Frühlingswetter angesehen mit dem normalen Abschlag von vier Grad, um die die Temperatur in der Eifel üblicherweise unter der in Aachen lag.

»Das Wetter ist außergewöhnlich gut für dieses Rennen. So gut war es lange nicht mehr. Vor drei Jahren gab es sogar Anfang Mai beim Start noch Schnee. Im vorletzten Jahr sind wir die meiste Zeit im Nebel unterwegs gewesen und im letzten Jahr wurde das Rennen sogar für ein paar Stunden unterbrochen, weil es wahre Wasserfälle vom Himmel regnete.«

»Dann haben Sie also schon mehrmals mitgemacht?«, unterbrach ihn Böhnke.

»Ja, es ist das vierte Mal, dass Siggi, Helmut und ich mitfahren. Bahns Motorsportfreund macht es möglich. Der Mann hat einen kleinen Rennstall und lässt uns hier starten.« Krupp lächelte. »Wir müssen ihm nur versprechen, dass wir seine Kiste nicht in den Sand setzen, also nicht mutwillig zu Schrott fahren.« Dementsprechend gingen sie vorsichtig zu Werke. »Bisher hat es immer geklappt und wir sind durchgekommen. Wir fahren nie am Limit, sondern achten darauf anzukommen. Aber das schlaucht auch.« Immer wieder müsse man während der Fahrt in den Rückspiegel schauen, wenn die hochgezüchteten Rennwagen über einer Kuppe oder aus einer Kurve herangeschossen kommen, um den Weg frei zu machen, und zugleich müsse man natürlich auch nach vorne blicken. Denn es gebe die echt lahmen Enten, die man selbst überholen muss, um vorwärtszukommen. »Das kann in manchen Situationen echt eng werden, etwa im Bereich Hatzenbach.«

Böhnke hatte keinen blassen Schimmer, was der junge Mann mit der Bezeichnung meinte, vermutete dahinter den Namen eines Streckenabschnitts und lag damit richtig, wie Krupp nun bestätigte.

»Hier gibt es etliche Passagen auf der Nordschleife mit legendären Namen, Schwalbenschwanz etwa oder

Döttinger Höhe, um nur zwei zu nennen.« Da schlage das Herz jedes Rennfahrers höher. Der Nürburgring hieße nicht zu Unrecht die ›grüne Hölle‹. »Wenn Sie da über die Strecke rasen, kommen Sie sich vor wie bei einer Achterbahnfahrt in der freien Natur.«

Böhnke wehrte lachend ab. Das brauche er nicht. Er schaute sich um, erkannte aber nichts, was ihn an Natur erinnern könnte. Überall gab es nur Beton, Asphalt, hoch aufragende Tribünen, eine breite, schnurgerade Piste und nur bescheidene Reste eines angedeuteten grünen Seitenstreifens aus Gras. Von einer ›grünen Hölle‹ konnte hier an Start und Ziel bestimmt nicht die Rede sein.

Da habe er unbestritten recht, bestätigte Krupp. Hier befände man sich auf dem kleinen Ring, der knapp fünf Kilometer langen Strecke für den Formel-1-Zirkus. »Nachdem Niki Lauda einmal beinahe in seinem Formel-1-Wagen bei einem Grand Prix im Wald nach einem Unfall abgefackelt wäre, wurde die Rennstrecke gewissermaßen verkleinert und entschärft. Die große Schleife wird nur noch bei Langstreckenrennen oder Touri-Touren befahren.« Bei allen anderen Rennen spiele sich das Geschehen im Prinzip nur noch rund um das Fahrerlager ab. »Sie müssen unbedingt einmal eine Fahrt über die große Schleife rund um die Nürburg machen«, empfahl Krupp. »Sie werden staunen, wie stimmig die Strecke in die Natur eingefügt und wie schön die Landschaft ist.«

»Wie lange?«

Die große Schleife sei rund 25 Kilometer lang, antwortete Krupp. Er hatte Böhnkes Frage anders verstanden, als sie gemeint war.

»Ich meine, wie viel Zeit brauchen Sie, Siggi oder Bahn für eine Runde?«

»Wie gesagt, wir selbst lassen es langsam angehen und brauchen zwischen 15 und 20 Minuten, je nach Verkehr auf der Strecke«, erklärte Krupp. »Die Spitzenteams von Abt oder Zakowski brauchen vielleicht acht bis zehn Minuten und überrunden uns alle drei bis vier Runden.«

Die Namen sagten Böhnke nichts. Über die Zeitunterschiede staunte er. »Also haben Sie keine Siegeschancen?«

So wäre das nicht, widersprach Krupp. Es gebe nicht nur den Gesamtsieg, sondern auch immens viele Klassen, in denen um die Klassensiege gefahren werde. Und letztes Jahr seien sie in ihrer Klasse sogar Dritte geworden. »Na, ja«, meinte Krupp schmunzelnd, »das war wegen des großen Regens, bei dem viele Konkurrenten ihre Autos mit Aquaplaning verloren. Wir waren glücklicherweise gerade in der Box, als der große Regen kam, und konnten anschließend weiterfahren.«

Aber so sei halt der Motorsport. »Es kann jeden Moment etwas Unvorhergesehenes passieren.« Gegen einen Unfall oder gegen das Wetter sei kein Fahrer gefeit.

Böhnke schaute auf seine Armbanduhr. Bahn war jetzt knapp eine Viertelstunde unterwegs. In wenigen Minuten würde er das erste Mal am Ziel vorbeikommen, und er war gespannt, ob er den Journalisten in dem rasenden Gewusel erkennen würde.

Krupp räusperte sich. Verlegen zupfte er an seinem rechten Ohrläppchen, das aus einer braunen Haarmähne hervorlugte. »Da Sie schon einmal hier sind, Herr Böhnke. Vielleicht können Sie mir ja helfen.«

Der ehemalige Kommissar runzelte fragend die Stirn. Wie sollte er diesem jungen Mann, von dem er nur wusste, dass er ein ehemals aus Düren stammender Kollege von

Bahn war, helfen? »Lassen Sie hören«, bat er eher aus Höflichkeit denn aus Interesse.

»Hm.« Der Journalist räusperte sich erneut. Sein Anliegen war ihm sichtlich unangenehm. »Wie Sie wissen, hat Bahn dank der Exklusivgeschichte über die Gnadenlosen, die Sie ihm verschafft haben, einen neuen Job bekommen. Wie das Schicksal so spielt, war das ausgerechnet der Job, den ursprünglich ich bekommen sollte.« Schnell hob er beschwichtigend die Hände. »Nicht, dass Sie jetzt meinen, ich würde Helmut den Job nicht gönnen. Er weiß wahrscheinlich nicht einmal, dass er mich hinausgekegelt hat.« Krupp räusperte sich wieder und schaute Böhnke offen ins Gesicht. »Aber ich bin jetzt an einer Geschichte dran, die mich vielleicht ebenfalls bundesweit bekannt machen kann. Es geht um einen kommunalpolitischen Skandal bei uns in Holland Süd.«

Holland Süd war, wie Böhnke gelernt, der Kreis Heinsberg mit dem Kennzeichen HS, der an den südlichen Teil der Niederlande und nördlich an den Kreis Aachen grenzte.

»Um ehrlich zu sein, brauche ich diese spektakuläre Geschichte, um mich für eine neue Anstellung irgendwo ins Gespräch zu bringen. Der Verlag, bei dem ich angestellt bin, ist nämlich von einem anderen Verlag gekauft, man kann auch sagen, geschluckt worden. Jetzt werden die Redaktionen zusammengelegt und ich bin dann zu viel an Bord. Junggeselle, keine Unterhaltsverpflichtungen, noch keine lange Betriebszugehörigkeit, keine finanziellen Außenstände, da bin ich der Erste, dem gekündigt wird.« Zum wiederholten Male räusperte sich Krupp. »Ich habe noch einen Pfeil im Köcher, eben meinen Politskandal. Der wird bestimmt in der ganzen Republik für Schlagzeilen und Aufmerksamkeit sorgen.«

Verständnislos schaute Böhnke ihn an. »Und was soll ich dabei tun?« Ihm schwante, was Krupp beabsichtigte.

»Ich komme mit meiner Recherche nicht richtig weiter und da dachte ich, dass Sie vielleicht Lust, Laune und Interesse hätten, mir zu helfen.« Der Journalist lächelte verschämt.

Er meinte wohl, für ihn die Arbeit zu machen, dachte sich Böhnke. Er war doch kein Privatdetektiv und wollte nur seine Ruhe haben. Aber das wollte er Krupp nun doch nicht so ins Gesicht sagen.

»Ich werde mich bei Ihnen im Laufe der nächsten Zeit einmal melden«, schlug er vor. »Dann können Sie mir mal erzählen, was da in Holland Süd so alles schiefläuft.« Er überlegte kurz und erinnerte sich an Berichte in der Aachener Zeitung, die im überregionalen Teil über den Kreis Heinsberg erschienen waren. »Hat es etwa etwas mit dem Krankenhausskandal zu tun oder mit der strittigen Ansiedlung einer Schokoladenfabrik?« Beide Themen hatten in der Region kurzzeitig für Aufmerksamkeit gesorgt.

Das irritierte Zucken in Krupps Augen zeigte ihm deutlich, er hatte nicht völlig mit seiner Frage danebengelegen.

Der junge Journalist nickte stumm.

Böhnke verspürte ein leichtes Unwohlsein. In die Stirnhöhlen war ein Geruch eingebrochen, den er in dieser intensiven, störenden Form nirgendwo sonst wahrgenommen hatte. Es war das Gemisch aus Benzin und Abgasen in der geballten Menge, das seine Spuren in der Nase und in den Geruchsnerven hinterließ. Hinzu kam der extreme Motorenlärm, der ebenso wie das ständige Quietschen von Reifen auf die Ohren drückte. Nein, das war nicht seine Welt.

Der Motorenlärm war allerdings noch ohrenschmeichelnd im Vergleich zu dem Sirenengeheul, das urplötzlich von allen Seiten losbrach. Die Schallwellen schlugen ineinander und machten aus dem eigentlich gerade noch erträglichen Heulen ein unrhythmisches, nervendes Getöse.

Böhnke presste die Hände gegen die Ohren.

Krupp zerrte ihn am Arm über die Boxengasse in die Garage, in der es wohltuend ruhig war.

»Da muss etwas Schlimmes passiert sein«, stammelte der Journalist aufgeregt und besorgt. Irgendwo auf der Strecke müsse es wohl einen gewaltigen Unfall gegeben haben, sonst wäre nicht dieser Großalarm ausgelöst worden. Er deutete auf die Rennstrecke vor ihnen. »Sehen Sie die Streckenposten? Sie schwenken die schwarze Flagge als Zeichen, dass das Rennen abgebrochen oder zumindest für längere Zeit unterbrochen wird. Sie stehen rund um den Nürburgring verteilt. Alle Autos müssen dort stehen bleiben, wo sie gerade sind. Wer weiterfährt, wird sofort disqualifiziert.«

Wie alle Mechaniker, so blickte auch der Journalist unruhig auf die Monitore, auf denen unentwegt ein ›accident‹ aufblinkte. Die Fernsehbilder von der Strecke zeigten nur am Rand stehende Rennwagen. Der Unfall schien sich außerhalb des Schwenkbereichs einer Kamera ereignet zu haben.

»Ach du Scheiße!«, entfuhr es Krupp erschrocken. »Schauen Sie, an der Nummer 472 blinkt ein Sternchen. Das ist unser Auto, das ist Bahn. Bahn hatte einen Unfall.«

Aufgelöst schaute er sich um. »Wir müssen hin! Ich muss wissen, was los ist! Wie kommen wir dahin? Wo ist die Stelle?«

Unruhig rannte Krupp durch die Garage, während die Mechaniker erschrocken und erstarrt auf das ständig auftauchende Sternchen hinter der Nummer 472 starrten. Auch hinter zwei anderen Fahrzeugen blinkten die Sternchen, die deren Unfallbeteiligung dokumentierten.

»Ich will dahin!«, schrie Krupp beinahe hysterisch. »Ich will wissen, was mit Bahn passiert ist!«

4.

»Ich auch«, betonte Böhnke entschlossen. »Kommen Sie mit!«, forderte er Krupp auf. »Wo finden wir hier die Rennleitung oder so etwas Ähnliches wie die Verantwortlichen?«

Verstört wies ihm Krupp den Weg zum Kopfende des Gebäudes. Überall standen diskutierende Männer in Rennoveralls oder Arbeitsmonturen zusammen. Nichts mehr war von den Motorengeräuschen zu hören, auch die Sirenen hatten ihre Arbeit beendet. Es blieb nur der unangenehme Gestank in den Stirnhöhlen.

»Was wollen Sie denn da?«, fragte Krupp. »Die lassen uns jetzt bestimmt nicht rein. Die haben andere Sorgen und anderes zu tun, als sich um uns zu kümmern.«

Das wolle er doch erst einmal sehen, brummte Böhnke. Immerhin sei er ein VIP, wie er mit einem Fingerzeig auf das Plastikkärtchen zu verstehen gab, das an dem Band um seinen Hals vor der Brust baumelte. Als VIP stünde ihm jederzeit ein Fahrdienst zur Verfügung.

Doch schon beim ersten Kontrolleur am Treppenaufgang zu den Räumen der Rennleitung schien der Kredit des VIP-Kärtchens nicht auszureichen.

Stumm pflanzte sich der breitschultrige Mann, der als Mitarbeiter eines privaten Sicherheitsdienstes zu erkennen war, im Eingang vor Böhnke und Krupp auf. »Hier kommen Sie nicht durch. Die Rennleitung darf nicht gestört werden. Ich habe strikte Anweisungen, niemanden reinzulassen.«

Das wütende Schimpfen von Krupp, der Bahns Unfall anführte, konnte den Kontrolleur nicht erweichen.

»Sie können doch ohnehin nichts ändern. Wir müssen alle auf Informationen warten.«

»Es gibt also noch keine Informationen?«, mischte sich Böhnke resolut ein.

Der Türsteher verweigerte eine Antwort, weil er offensichtlich nichts wusste.

Böhnke schaute sich um. »Wo ist denn der Fahrdienst, der zu meiner Verfügung stehen soll?«

»Der fährt momentan nicht, der bleibt auch auf dem Parkplatz. Auf den Ring dürfen nur Rettungsfahrzeuge und die Polizei.«

Böhnke blickte auf das eingezäunte Gelände wenige Meter entfernt, auf dem mehrere weiße Mercedes mit der Aufschrift ›Fahrdienst‹ standen. Er sah, wie zwei Männer in Zivil in einen der Wagen stiegen und davonfuhren.

»Kann es sein, dass Sie nicht auf dem aktuellen Stand der Dinge sind?«, fuhr er den Türsteher an. »Wieso fahren die dann los?«

Das seien bestimmt Unfallermittler, meinte der Mann verunsichert.

»Und ich bin Kriminalhauptkommissar«, entgegnete Böhnke schnell, zückte für einen Augenblick seinen alten, abgelaufenen und ungültigen Dienstausweis und blickte dem Kontrolleur streng ins Gesicht. »Ich will jetzt sofort zur Unfallstelle, um mir vor Ort ein Bild zu machen. Und wenn Sie mich jetzt nicht hinbringen lassen, können Sie sich auf einiges gefasst machen.« Er war fordernd geworden. »Sie behindern meine Ermittlungen, wenn Sie nicht unverzüglich den Fahrdienst für mich rufen.« Sollte Krupp ruhig glauben, er würde seinetwegen den Aufstand machen, dachte sich Böhnke. Aber er spürte in sich eine Unruhe, wenn er an Bahn dachte. Er wollte bei ihm sein, immerhin hatte er ihn eingeladen.

Der Kontrolleur gab unverzüglich seinen Widerstand auf und forderte herrisch über sein Funkgerät einen Wagen an. »Für einen Chef der Polizei«, wie er betonte und winkte in Richtung Parkplatz, wovon sich ein Mercedes in Bewegung setzte.

»Wer sagts denn«, grinste Böhnke. Kurz genoss er die staunende Bewunderung von Krupp, dann kehrten seine Gedanken wieder zu Bahn zurück.

Ob er mehr wisse als die Leute in der Boxengasse, fragte er den Fahrer, als sie auf die Strecke einbogen. Am rechten Fahrbahnrand war ein Wagen hinter dem anderen abgestellt, Rennfahrer standen zusammen und redeten miteinander. Doch hatte Böhnke keinen Blick dafür. »Was wissen Sie?«, wiederholte er. Dem Fahrer hatte er sich als Kommissar Böhnke vorgestellt, das a. D. geflissentlich verschweigend.

Viel habe er noch nicht mitbekommen, antwortete der Mann hinter dem Lenkrad. »Ich weiß nur, dass es am Fuchsbau fürchterlich gekracht haben muss. Ein Wagen ist in Brand geraten, ein zweiter Wagen dahinter ist gerade noch auf der Strecke geblieben, in den ist dann von hinten ein dritter hineingefahren.« Wahrscheinlich sei ein Fahrer verbrannt, die anderen beiden hätten wohl keine Verletzungen erlitten.

»Und wer ist der Tote?«, fragte Krupp ängstlich gespannt.

»Ich habe noch nichts gehört«, antwortete der Chauffeur. »Ehrlich gesagt gibt es für uns auf der Strecke jetzt Wichtigeres zu tun, als die Welt über die Namen der

Unfallopfer zu informieren. Sie können ja selbst aufgrund der Angaben auf den Monitoren sehen, welche Autos beteiligt waren. Und dann finden Sie auch leicht aus der Starterliste die Fahrer heraus.«

»Was passiert denn jetzt?«, wollte Böhnke wissen. Immer noch fuhren sie in einem gemäßigten Tempo an der Reihe der abgestellten Fahrzeuge vorbei.

Das gehe jetzt wie bei einem normalen Verkehrsunfall zu, erhielt er zur Antwort. Erst käme die Rettung und Bergung der Unfallopfer, dann die Unfallaufnahme und die eventuelle Rekonstruktion des Unfalls, anschließend die Bergung der Fahrzeuge und danach möglicherweise die Wiederaufnahme des Rennens.

»Aber das müssten Sie doch eigentlich wissen«, hielt der Fahrer mit einem zweifelnden Blick in den Rückspiegel Böhnke vor. »Sie und Ihre Kollegen entscheiden doch darüber, ob und wann das Rennen überhaupt wieder gestartet werden kann.«

»Glauben Sie denn an eine Fortsetzung?«, fragte Böhnke erstaunt.

»Warum nicht? Die Polizei wird doch nicht 20 Stunden lang wegen der Unfallursache ermitteln. The show must go on.« Der Fahrer bremste ab und kam hinter einem Tanklöschfahrzeug der Feuerwehr zu stehen, das breit die Strecke blockierte. »Jetzt müssen Sie zu Fuß weiter. Ich warte hier auf Sie. Ich habe, zu Ihrer Information, meine Glücksnummer 13.« Sie müssten wohl noch ein paar Hundert Meter laufen, vermutete er. »Aber näher kann ich Sie nicht an die Unfallstelle bringen. Die reißen mir vollkommen zu Recht den Kopf ab, wenn ich an den Rettungsfahrzeugen vorbeifahren und dann noch die Bergungsarbeiten behindern würde.«

Böhnke verkniff sich eine Bemerkung zur angeblichen Glücksnummer 13. Die 13 war auch die Boxennummer von Bahn gewesen. Und Glück hatte sie nicht gebracht.

Der Fahrer hatte mit seiner Vermutung richtig gelegen. Der Fußweg bis zur Unfallstelle war doch noch lang. Böhnke zählte nicht die Feuerwehrfahrzeuge, die mit abgestellten Motoren auf der Rennstrecke standen. Wahrscheinlich waren alle roten Fahrzeuge aus allen Orten ringsum ausgerückt, um für alle Eventualitäten gerüstet zu sein. Die Zahl der aufgebotenen Rettungsfahrzeuge sprach dafür, dass es einen dramatischen Unfall gegeben haben musste.

Mehrfach wurden Böhnke und Krupp von Fahrern angesprochen, die angespannt am Straßenrand warteten. »Wissen Sie etwas? Wissen Sie mehr?«

Krupp gab bereitwillig sein geringes Wissen weiter: drei Fahrzeuge, wovon eines ausgebrannt sei. Fahrer vermutlich tot.

Mehrere Namen wurden in den knappen Gesprächen genannt, bis schließlich, je näher sie der Unfallstelle kamen, ein Name in den Mittelpunkt geriet: Berthold Theberath, manche sprachen auch nur von Bert. Er sollte derjenige sein, der bei dem Unfall gestorben war, so hieß es, und diese Annahme verfestigte sich, je näher Böhnke mit Krupp im Schlepptau an den Ort des Geschehens kam.

Krupp hatte ein Gerücht aufgefangen, das sich in Windeseile verbreitete. Es habe wohl einen Reifendefekt gegeben, vermutlich einen geplatzten Reifen. Theberath sei deswegen ins Schleudern geraten, hätte den Wagen nicht mehr abfangen und kontrollieren können, sei dann von der abschüssigen Strecke gekommen und hätte sich, nachdem er auf den Randstreifen gefahren und gegen eine Leitplanke gestoßen war, mit dem Fahrzeug mehrmals überschlagen. Etliche Meter von der Stelle entfernt, an der der Reifen geplatzt sei, wäre der Wagen auf dem Dach liegend, neben der Strecke zum Stillstand gekommen. Er habe dabei schon gebrannt, dann sei er blitzschnell lichterloh in Flammen aufgegangen. Da hätte sogar die selbstauslösende Löscheinrichtung des Rennwagens nichts ausrichten können. Zuschauer am Streckenrand hätten unwahrscheinliches Glück gehabt. Der Wagen wäre während der Überschläge immer wieder auf die Piste zurückgeprallt und nicht, was auch möglich gewesen wäre, in hohem Bogen in die Menge geflogen, die hinter einem Zaun auf einem Hang stand. Dann hätte der Unfall in einer unvorstellbaren Katastrophe geendet, ähnlich derjenigen nach dem Zweiten Weltkrieg auf dem ehemaligen Grenzlandring in Wegberg.

Eine Katastrophe war es auch schon so, dachte sich Böhnke. Es machte doch keinen Unterschied, ob ein Mensch am Steuer eines Rennwagens verbrannte oder ob er bei seinem Unfall noch andere Menschen mit in den Tod riss.

Krupp war sichtlich erleichtert. Er war froh, dass seinem Kollegen nichts Schlimmeres passiert war. Er kannte den Verstorbenen nicht. Theberath musste wohl, so seine erste Einschätzung nach den Gesprächen mit den Rennfahrern, sehr erfahren und beliebt gewesen sein.

Noch eine zweite Nachricht machte die Runde. Krupp hatte das Gerücht gehört, das ebenfalls sofort in aller Munde war: Zuschauer wollten, so jedenfalls glaubten Rennfahrer, bei ihrer Suche nach Augenzeugen erfahren haben, mehrere Schüsse gehört haben. Jemand habe absichtlich auf Theberath geschossen, hieß es schließlich. Andere Fahrer wollten dieser Behauptung nicht zustimmen. Wahrscheinlich waren es Verpuffungen oder Entzündungen in Auspuffrohren gewesen, die von sensationsgierigen Mitmenschen als Schüsse interpretiert wurden.

»Ich kann mir nicht vorstellen, dass jemand absichtlich auf einen Rennwagen schießt und ihn dann auch noch bei dieser rasenden Geschwindigkeit trifft«, meinte Krupp, ohne mit seiner Ansicht bei Böhnke einen Kommentar bewirken zu können.

Sie waren endlich an den Krankenwagen angekommen, die mit immer noch blinkenden Warnlichtern hinter den Unfallfahrzeugen standen. Böhnke erblickte das ausgebrannte Wrack, das von Löschschaum überzogen war. Nichts erinnerte mehr an einen Rennwagen. Am Seitenstreifen stand Bahns Fahrzeug mit einem zerknautschten Heck, dahinter befand sich ein weiteres Fahrzeug, vermutlich ein Opel, mit einer zerbeulten Frontpartie. Das war wohl der Auffahrunfall als Folge des Unfalls von Theberath, vermutete Böhnke.

Er machte sich auf der Suche nach Bahn und musste sich zunächst den raunzigen Anpfiff eines Feuerwehrmannes anhören, der sich über das störende Herumlaufen eines Zivilisten an der Einsatzstelle beschwerte.

»Verpiss dich!«, keifte der Mann. »Sonst lasse ich dich einbunkern.«

Erst der Wink mit dem Dienstausweis und die Nennung seines früheren Dienstgrades stimmten den Rettungshelfer versöhnlich und verschafften Böhnke und Krupp ungehinderten Durchgang.

Sie suchten lange nach Bahn und vermuteten schon, er befinde sich in einem der Krankenwagen, der mit dröhnender Sirene und voller Beleuchtung davonstob.

Schutzpolizisten waren mit der Dokumentation des Unfalls beschäftigt. Kameramänner mit kanariengelben Leibchen, auf denen sie als Medienvertreter bezeichnet wurden, filmten unaufhörlich das Geschehen.

Böhnke fragte sich nicht, wie sie an die Unfallstelle gelangt waren. Manchmal, vielleicht sogar immer, waren Journalisten halt wie die Aasgeier, die instinktiv wussten, wenn es für sie Beute und Futter gab.

»Da haben Sie Ihre Exklusivstory«, meinte er ironisch zu Krupp. »›Wie ich miterleben musste, wie mein Kollege beinahe bei einem Rennunfall auf dem Nürburgring ums Leben kam.‹«

Krupp winkte ab. »Glauben Sie allen Ernstes, Helmut lässt sich diese Geschichte entgehen. No way.« Plakativ breitete er die Arme aus, ähnlich einem Priester, der über Wunder sprach. »›Ich war als Augenzeuge dabei, als Theberath starb.‹« Er schüttelte den Kopf. »Da habe ich als später hinzugekommener Schreiberling keine Chance.« Er schaute sich suchend um.

»Können Sie Bahn entdecken?«

5.

Bahn hatte es sich im Hang neben der Strecke bequem gemacht. Er hatte sich auf den linken Arm abgestützt und winkte ihnen zu. Den Helm hatte er ebenso abgelegt wie die Kopfhaube.

»Wird ja langsam Zeit, dass ihr kommt. Seid ihr etwa zu Fuß hier?« Er warte schon eine Ewigkeit auf sie.

Der Journalist wirkte auf Böhnke erstaunlich gefasst und konzentriert, fast schon kaltblütig.

»Hey, du alter Schwede! Was ist mit dir?« Krupp betrachtete mit besorgter Miene seinen Kollegen.

Doch Bahn winkte lässig ab. »Alles in Ordnung. Ich bin topfit. Wenn der Arsch da«, er deutete auf den ramponierten Opel, »mir nicht meinen Daimler demoliert hätte, könnte ich locker weiterfahren.«

Böhnke sparte sich eine Entgegnung. Er war froh, dass Bahn äußerlich unversehrt geblieben war. Bahn wäre garantiert nach wenigen Metern auf der Strecke aus seiner scheinbaren Souveränität aufgewacht und hätte sich dann wahrscheinlich vor Angst in die Hose gemacht, dachte er sich.

»Hätte, wenn und aber gibt es heute nicht«, ließ sich Krupp vernehmen. Er hatte sich neben Bahn gehockt und ihm den Arm um die Schultern gelegt. »Unser Wagen ist im Eimer, aber du bist Gott sei Dank auf dem Damm.«

Da habe er es wesentlich besser angetroffen als das arme Schwein da vorne, meinte Böhnke beklommen.

Andächtig schwiegen sie, als dunkel gekleidete Männer einen Zinksarg in einen Leichenwagen schoben.

»So schnell kann es gehen«, meinte Krupp bedauernd nach der Abfahrt des schwarzen Kombis. »Helmut, wie ist es dazu gekommen? Was ist passiert?«

Kopfschüttelnd blickte sich Bahn um. Ebenso wie Böhnke nahm er die Zuschauer wahr, die auf der anderen Seite der Strecke hinter dem stabilen Drahtzaun stehend dem Treiben zuschauten. Die Betroffenheit lähmte die Rennsportfans.

Es war ungewöhnlich still, eben totenstill.

»Was passiert ist, willst du wissen?« Bahn wandte sich schwach lächelnd seinem Kollegen zu. »Ich tuckere mit unserer Möhre wie ein Rentner über den Ring, damit ja bloß nichts an das gute Stück rankommt, da fliegt der Typ geradezu an mir vorbei. Dann höre ich es nur noch knallen, quietschen und krachen. Und alles ist voller Qualm. Ich bin sofort voll in die Eisen und habe die Karre mit verdammt viel Glück auf der Straße gehalten. Da brettert mir auch schon der Flachmann von hinten in die Kiste, dieser Sonntagsfahrer. Ich habe noch gesehen, wie der Wagen vor mir einen Salto nach dem anderen macht und dann brennend liegen geblieben ist. Ich bin raus aus meiner Möhre, hab mir den Feuerlöscher geschnappt und bin hin. Aber da war nichts mehr zu machen. Wir haben mit etlichen Leuten versucht, den Mann zu retten. Aber es war zu spät. Der hatte keine Chance.« Er schluckte schwer.

Und jetzt schien es, als habe er eben geweint, kam es Böhnke vor. Bahn mimte zwar den harten Knochen, aber war wohl mehr mitgenommen, als er zugeben würde.

Ein als Notarzt erkennbarer Mann näherte sich und fragte Bahn, wie es ihm gehe.

Der Journalist nickte stumm und sah zu, wie ihm der Mediziner den Puls und den Blutdruck maß.

»Okay, wenn Sie wollen, können Sie zurück ins Fahrerlager, wir brauchen Sie nicht stationär zu behandeln. Sie kümmern sich um ihn?« Er hatte Böhnke und Krupp angesprochen, als sei es für ihn selbstverständlich, dass sie zu Bahns Helferkreis gehörten.

»Wir haben ihm ein Beruhigungsmittel gespritzt«, flüsterte der Arzt Böhnke zu, den er zur Seite gezogen hatte. »Der war total durch den Wind, als wir ihn vorfanden. Er wollte einfach nicht wahrhaben, dass er den anderen nicht aus dem Wagen ziehen und retten konnte. Der hätte wahrscheinlich sogar sein eigenes Leben geopfert, wenn er dadurch den anderen hätte retten können. Andere mussten ihn mit Gewalt zurückhalten.«

»Kommt mal mit!« Bahn hatte sich ächzend erhoben und ging mit wackligen Schritten voran. Er näherte sich seinem Rennwagen, der von vorne unversehrt aussah. Das Heck hingegen war arg mitgenommen.

»Mit dem fährst du keinen Meter mehr«, bemerkte Krupp und deutete auf das schräg stehende Hinterrad auf der linken Seite. »Das ist eindeutig ein Fall für den Abschleppdienst.«

Langsam schritt Bahn um das Fahrzeug und ging vorne an der Fahrerseite in die Hocke. »Seht ihr?« Er zeigte auf ein kleines Loch im Kotflügel. »Hier hat es eingeschlagen.«

Wird wohl ein aufgewirbeltes Steinchen gewesen sein, meinte Krupp.

»Quatsch!« Bahn brauste entrüstet auf. »Hier hat jemand geschossen. Da hat ein Scheißkerl meinen Vordermann voll erwischt und mich beinahe. Wenn der Typ mich nicht überholt hätte, hätte ich wahrscheinlich mehr Schüsse abbekommen.« Bahn sah mit einem Blick, gemischt aus

Verblüffung und Panik, zu Böhnke. »Hier wollte mich jemand abknallen.«

Ob er seinen Verdacht der Polizei geäußert habe, fragte Böhnke bedächtig. Er wollte Bahns Vermutung nicht überbewerten, Bahn aber auch nicht reizen, indem er die Vermutung als unwahrscheinlich bezeichnete.

Habe er, bestätigte Bahn. Man werde allen erdenklichen Ursachen und Möglichkeiten nachgehen, hätte man ihm versichert.

»Das ist doch ein Fall für die Mordkommission«, stammelte Krupp, »wenn das stimmt, was du glaubst.«

So sei es, bestätigte Böhnke. »Dann werden sich meine zuständigen Kollegen sicherlich damit beschäftigen.« Er würde sich raushalten aus dieser, seiner Meinung nach abwegigen Geschichte.

Nach fast zwei Stunden gab die Polizei die Unfallstelle frei. Oder sollte er doch Tatort sagen? Böhnke verkniff sich die Frage. Das war nicht sein Thema. Die Kollegen würden wissen, was sie zu tun hatten und was sie für richtig erachteten.

Die Fahrer sollten sich in langsamer Fahrt zum Fahrerlager begeben, bestimmten die Streckenposten. Dort sollte es in 45 Minuten eine Besprechung geben und eine Entscheidung, wie es mit dem Rennen weiterging.

Auf Krupps Frage, wann sie zum Wagen des Fahrdienstes zurückgehen würden, antwortete Böhnke nur mit einem trockenen: »Warum?« Krupps irritiert fragenden Blick nahm er leicht schmunzelnd zur Kenntnis.

»Du Nase. Warum sollen wir hingehen?« Bahn sprang Böhnke zur Seite. »Der kommt doch eh bei uns vorbei. Wir müssen nur noch einsteigen. Oder glaubst du etwa, der fährt als Einziger gegen die Fahrtrichtung zum Ziel?«

Wenige Minuten später saßen sie im Wagen 13 des Fahrdienstes und reihten sich in die lange Schlange der Fahrzeuge ein, die langsam zum Fahrerlager zurückfuhr. Schweigend stierten die Männer vor sich hin. Sie konnten nichts sagen in ihrer Betroffenheit oder wollten nichts sagen wie Böhnke, der sich noch einmal Bahns Behauptung wegen eines Anschlags durch den Kopf gehen ließ. Wahrscheinlich, so schloss er, hatte Bahn überreagiert, hatte es ein durch ein Steinchen verursachtes Loch im Blech gegeben und waren die vermeintlichen Schüsse keine Schüsse gewesen, sondern hatten technisch-physikalische Ursachen auf der Rennstrecke gehabt.

Stumm lief er hinter den beiden Journalisten her, als sie dem großen Saal im Medienzentrum zustrebten, in dem die Rennleitung mit den Teilnehmern über die Fortführung des Rennens diskutieren wollte; wobei es eigentlich gar keine Diskussion gab, wie Böhnke schnell erkannte.

Die Meinung der meisten Rennfahrer stand fest: Es hatte sich um einen, wenn auch tragischen Rennunfall gehandelt, der immer wieder und überall vorkommen kann. Ein Rennabbruch könnte deshalb kein ernsthaftes Thema sein. Es wurde allenfalls darüber geredet, ob man nicht aus Respekt und im Gedenken des Verstorbenen eine halbe Stunde in mäßigem Tempo ohne Überholvorgänge über den Ring fahren sollte. Für diesen Vorschlag fand sich jedoch keine Mehrheit der über 100 Anwesenden. Die meisten Teams wollten wieder ungehindert hinaus in die grüne Hölle.

»So ist halt die Welt«, kommentierte Bahn das ihn nicht befriedigende Ergebnis. »Über die tatsächlichen Gründe, weshalb das Rennen fortgesetzt werden muss, wird nichts gesagt.« Die Sponsoren und die Fernsehanstalten hätten doch schon längst entsprechend interveniert. »Da müssen die einfach weitermachen«, behauptete er.

»Aber ohne uns«, meinte Krupp. »Ich fahre nach Hause. Ich würde auch abhauen, wenn unsere Kiste wieder flottgemacht werden könnte. Ich habe die Schnauze voll.«

»Ich auch. Ich mache den Abflug nach Düren«, ergänzte Bahn. »Unser Teamchef nimmt mich mit. Sorry für Sie, Herr Böhnke, dass Ihr Rennwochenende, auf das Sie sich bestimmt so sehr gefreut haben, derart bescheiden ist. Aber dafür kann man wirklich nichts.«

Böhnke kam sich einigermaßen verlassen vor, nachdem sich Bahn und Krupp von ihm verabschiedet hatten. Wenig begeistert schlenderte er zum Hotel zurück. Für ihn machte es jetzt noch weniger Sinn, auf dem Nürburgring zu bleiben, als es ohnehin fast keinen Sinn für ihn gehabt hatte, überhaupt herzufahren. Er würde Lieselotte bitten, mit ihm nach Huppenbroich zurückzukehren.

»Ich wüsste nicht, was ich lieber täte«, meinte sie zu seiner Bitte, als sie endlich den wartenden Böhnke nach ihrem ausgiebigen Besuch des Wellness-Bereichs erlöste. Von dem schrecklichen Geschehen auf der Rennstrecke hatte sie nichts mitbekommen und sah sich nach seinem Bericht in ihrer Auffassung bestätigt, dass jede Art von Sport in erster Linie versuchter Selbstmord sei.

Ihrem Wunsch, erst nach dem Abendessen aufzubrechen, kam er gerne nach. Auch er verspürte jetzt das Hungergefühl.

An der Rezeption hatte man durchaus Verständnis für die verfrühte Abreise, vielleicht war es dem Betreiber auch einerlei, ob sie blieben oder nicht. Die Zimmer waren ja bezahlt.

»Wir finden auch jetzt noch jemanden, der gerne in Ihre Räume zieht«, entgegnete die Rezeptionistin lächelnd auf Böhnkes unausgesprochene Vermutung. »Sie beziehungsweise Ihre Gastgeber bezahlen selbstverständlich nur die von Ihnen in Anspruch genommenen Leistungen.«

»Wozu dann bitte auch ein Abendessen gehört«, mischte sich die Apothekerin ein. »Ich habe nämlich einen Mordshunger.«

Im eleganten, hellen Speisesaal, in dem wie scheinbar überall in den Räumen Monitore das Geschehen auf der Rennstrecke dokumentierten, war der tragische Unfall das beherrschende Gesprächsthema. Er sei halt passiert, so war die allgemeine Ansicht; wenn ein Reifen platzt, und das an einer ungünstigen Stelle auf dem Ring, dann kann man nichts machen. Das wäre im normalen Straßenverkehr nicht anders. Man müsse das Unausweichliche akzeptieren, könne zwar Theberaths Tod bedauern und mit den Hinterbliebenen trauern, damit sei es aber auch schon getan. Ändern könne jetzt niemand etwas.

»Wir können stundenlang über das Warum diskutieren, warum ausgerechnet Bert sterben musste«, meinte der Tischnachbar unaufgefordert zu Böhnke. »Aber das bringt uns nichts. Ein Tod durch einen Rennunfall, das kann das Schicksal jedes Motorsportlers sein.«

»Sie kennen Berthold Theberath?« Böhnke traute sich nicht, ›kannten‹ zu sagen.

»Den kennt jeder, der in der Rennsportszene heimisch ist«, antwortete der Mann kauend. Er stellte sich freundlich als Repräsentant einer Firma für den Verkauf und den Vertrieb von Stoßdämpfern vor. »Schmitz wie Müller«, sagte er. »Echt Kölscher Adel.« Er betrachtete Böhnke sinnend.

»Bert war ein echter Kerl, ein Kumpel und für viele

ein Freund und Ratgeber. Der hatte Benzin im Blut und fuhr schon seit mindestens 20 Jahren hier auf der Nordschleife mit. Schon sein Vater und sein Großvater gehörten gewissermaßen zum Inventar des 24-Stunden-Rennens. Bert hat die Familientradition fortgesetzt, gemeinsam mit seinem Bruder Tünn. Anton«, verbesserte sich Schmitz überflüssigerweise. »Die Theberaths gehören zum Ring wie die Abts, die Stucks oder die Zakowskis.

Alle Namen sagten Böhnke nichts, auch wenn er sie hier zum Teil schon zum zweiten Mal hörte. Aber er sah es als wenig erhellend an, seine Unkenntnis preiszugeben.

»Hinzu kommt, dass Bert nicht nur ein hervorragender Rennfahrer mit vielen Spitzenergebnissen bei Langstreckenrennen war, er war auch ein gewiefter Geschäftsmann und ein fantastischer Autospezialist. Er und sein Bruder betreiben mit großem Erfolg eine Kfz-Werkstatt in Aachen, in der etliche Hobbyrennfahrer ihre Wagen tunen und kleinere Rennteams ihren Maschinen den Feinschliff geben lassen. Außerdem haben sie mit Autos und Rennautos einen erträglichen Handel betrieben.« Schmitz hob sein Bierglas. »Lassen Sie uns in seinem Gedenken zuprosten.«

Anscheinend hatte der Zwischenfall auf der Rennstrecke die Fans nicht zu einer fluchtartigen Massenabreise vom Nürburgring bewogen. Fast schien das Gegenteil der Fall zu sein. Immer noch machten sich Autofahrer in der Gegenrichtung auf den Weg dorthin. Sie waren fast allein auf der Straße, die vom Ring in Richtung Monschau und Aachen fortführte, als sie am Abend durch die Eifel fuhren.

»Ich will vor Mitternacht zu Hause sein«, hatte die Apothekerin gesagt, als sie nach dem Autoschlüssel langte. »Da ist es besser, wenn ich fahre. Du bist langsamer als wie ich.«

Dafür liebte er sie, dachte sich Böhnke heiter. Das ›als wie‹ war nicht nur echt Öcher Sprachgebrauch, es war auch immer wieder Grund für eine herzliche Auflockerung, wenn sie einmal über ernsthafte Themen in Streit gerieten.

Die Strecke zurück erinnerte Böhnke in keiner Phase an die Hinfahrt, sodass er vorsorglich zweifelnd fragte, ob sie tatsächlich auf der richtigen Bundesstraße unterwegs seien.

Er könne unbesorgt sein, versicherte seine Liebste schmunzelnd, sie kenne die Eifel so gut wie seine Westentasche. Und das meinte sie ernst.

Als sie endlich in stockfinsterer Nacht im unbeleuchteten Huppenbroich ankamen, war es tatsächlich kurz vor der Tageswende.

Böhnke wunderte sich über den Briefumschlag, der aus dem Briefkasten neben der Eingangstür lugte. Üblicherweise wurde samstags keine Post in dieser abgelegenen Ecke der Nordeifel ausgetragen.

Daran hatte sich auch nichts geändert, wie Böhnke schnell feststellte. Der Umschlag trug weder eine Anschrift noch den Namen eines Absenders, von einer Briefmarke ganz zu schweigen.

Zwei Blätter zog Böhnke neugierig aus der braunen Hülle.

›Anbei finden Sie die Kopie eines Briefes, den ich in dieser Woche Freitag mit der Post erhalten habe‹, hatte Bahn auf dem oben liegenden Blatt geschrieben: ›Ich rufe Sie deswegen am Sonntag an.‹

Das zweite Blatt ließ Böhnkes Atem stocken. Darauf stand nur: ›Bahn, fahr zur Hölle!‹

6.

Er fühlte sich am Morgen schlapp. Trotz seines tiefen, ungestörten Schlafs kam er nicht auf die Beine. Die Energie, die er in den letzten Tagen besessen hatte, war verschwunden. Er hatte sich übernommen, schlicht zu viel gemacht, jetzt schickte ihm sein Körper die Rechnung – verfluchte Krankheit mit ihren unberechenbaren, nicht vorhersehbaren und nicht beherrschbaren Attacken. Den Sonntagsbrunch in der Gaststätte ›Zur alten Post‹, den die junge Wirtin, mit viel Skepsis beäugt, aber mit Erfolg eingeführt hatte, würde er trotz seiner Reservierung für zwei Personen nicht wahrnehmen.

»Sag doch Bahn Bescheid«, schlug seine bessere Hälfte vor. »Er soll mit seiner besseren Hälfte zu uns in die Eifel kommen. Die können unsere Plätze beim Brunch gerne einnehmen.«

Damit ersparte sich Böhnke nicht nur die Unannehmlichkeit, kurzfristig die Reservierung zu stornieren, sondern hatte auch die Gelegenheit, am Nachmittag, wenn er sich hoffentlich wieder etwas besser fühlte und zu Kräften gekommen war, im direkten Gespräch mit Bahn über dieses ominöse Schreiben zu reden.

Er glaubte nicht, dass diese unangenehme Überraschung, die in der Nacht im Briefkasten gesteckt hatte, zu seinem maladen Zustand geführt hatte. Ein derartiger Drohbrief konnte ihn nicht schockieren. Dazu hatte er selbst schon zu viele dramatische, tatsächlich lebensgefährliche Situationen in seinem Berufsleben mitgemacht. Da löste diese Drohung gegen Bahn keine, seine innere Ruhe gefährdende Reaktion aus.

Bahn nahm Böhnkes doppelte Einladung, die zum Brunch und die zum nachmittäglichen Gespräch gerne an. »Meine Frau wollte immer schon mal nach Huppenbroich«, behauptete er beim angekündigten Telefonat.

Er habe, so meinte der Journalist, keine Ruhe gefunden und hätte sich von seiner Frau am Abend zu Böhnke aufgemacht, um ihm den Drohbrief zu geben. »Was meinen Sie dazu? Glauben Sie jetzt, dass der angebliche Rennunfall auf dem Nürburgring in Wirklichkeit ein Attentat auf mich war?«

Böhnke wollte sich mit seiner Beurteilung Zeit lassen. »Kommen Sie zu uns, dann reden wir darüber«, antwortete er ausweichend. Er hatte sich noch einmal das Schreiben vorgenommen.

War es tatsächlich ernst gemeint?

»Denken Sie etwa, ich hätte mir aus Jux und Dollerei diese Drohung selbst ausgeheckt?« Bahn reagierte äußerst pikiert auf Böhnkes Bedenken.

Seine gute Laune nach dem für ihn ausgesprochen gut schmeckenden Brunch war schnell verflogen. »Da muss ich doch tatsächlich von Düren aus durch die Welt fahren, um richtig gut essen zu können«, hatte er begeistert gesagt, als er mit seiner Frau im Hühnerstall erschien. Der Ort sei ja echt toll, hatte er gemeint. Sie hatten ihren Wagen auf dem Parkplatz hinter der Gaststätte stehen gelassen und waren zu Fuß zur Kapellenstraße gegangen.

»Ich habe tatsächlich geglaubt, Sie hausen wirklich in einem Hühnerstall«, bekannte Gisela, die Gattin von Bahn, ehrlich. Die schlanke Enddreißigerin mit den langen, blonden Haaren erinnerte Böhnke sehr an Sabine, die Partnerin, oder sollte er besser sagen, die ehemalige Partnerin seines Aachener Freundes Tobias Grundler. Aber das war eine Sache zwischen Sabine und Tobias, in die er sich nicht einmischen würde.

»Unsere Wohnung war ursprünglich auch ein Hühnerstall«, bestätigte Lieselotte. »Ich habe vor etlichen Jahren das Grundstück samt Stall geerbt. Wir haben uns daraus unser Feriendomizil und unseren Alterswohnsitz für die Zeit, wenn wir nicht mehr in Aachen arbeiten müssen, gezimmert.«

›Gezimmert‹ sei maßlos untertrieben, wie Gisela bewundernd sagte, während sie den Blick von der sonnenbeschienenen Terrasse in den Wohnbereich gleiten ließ, der von einem beeindruckenden Kachelofen geprägt wurde.

»Alles Handarbeit«, meinte die Apothekerin stolz, »alles selbst gemacht.«

»Sogar das Holz, das wir schlagen«, ergänzte Böhnke. »Wir haben ja ausreichend Buchen auf den Wiesen rund um unser Dorf. Wir haben jeden Winter genug zu tun, um unseren Brennstoffvorrat aufzufüllen.« Er zeigte auf die mächtigen Stapel der Buchenscheite, die an geschützten Stellen aufgeschichtet waren.

Er biss sich auf die Lippe und ärgerte sich über seine negative Denkart. Wie lange, so war ihm durch den Kopf geschossen, wie lange würde er noch das Glück haben, in dieser Idylle zu leben, Holz zu schlagen und am Kaminofen zu sitzen? Er schüttelte sich und betrachtete seine Frau, die Getränke aufgetischt hatte. Seine ursprüngliche Idee, mit den Gästen aus Düren einen kleinen Spaziergang durch sein Buchendorf, wie er Huppenbroich gerne bezeichnete, zu machen, hatte er verworfen. Es bereitete ihn heute zu viel Mühe, eine längere Strecke zu gehen. Da war es ihm lieber, wenn sie es sich in dem von der mannshohen Buchenhecke blickgeschützten und windfreien Garten bequem machten.

Böhnke hatte sich von Bahn den Originalbrief mitbringen lassen, wenn überhaupt von einem Original die Rede sein konnte, denn es schien sich bei dem Drohbrief auch um eine Kopie zu handeln. In schwarzen Druckbuchstaben war in gängiger Computerschrift auf weißem Standardpapier der bedrohlich wirkende Satz geschrieben worden.

»Wenn wir mal ausschließen, dass ich mir wirklich nicht aus Jux und Dollerei diesen Brief zugeschickt habe«, sagte Bahn leicht angesäuert, »können und müssen wir wohl davon ausgehen, dass der Verfasser dieses Schwachsinns alles versucht hat, um Rückschlüsse auf ihn zu verhindern.«

Böhnke ließ den Journalisten reden.

»Der Arsch hat mir doch nicht ohne Grund wenige Tage vor den Rennen auf dem Nürburgring den Brief zugeschickt. Der wollte mich verunsichern. Und das ›Fahr zur Hölle‹ ist ja wohl ein nicht zu verkennender Hinweis auf die ›grüne Hölle‹. Aber da hat er sich geschnitten. Ich lasse mich doch nicht von jedem Hansel fremdbestimmen und verhalte mich so, wie er es will.«

Bahns Sätze warfen mehr Fragen auf, als Böhnke stellen konnte: Warum warnte ein Attentäter vor? Hätte er nicht, wenn er es tatsächlich ernst meinte, geschwiegen? Warum war Bahn, wenn er glaubte, gewarnt worden zu sein, doch noch gefahren und hatte damit nicht nur sich, sondern eventuell auch andere in Gefahr gebracht? War Bahn mit dem Drohbrief zur Polizei gegangen? Hatte er seine Teamkollegen eingeweiht? Hatte er schon vorher Drohungen erhalten?

Selbstverständlich, so fuhr Bahn fort, hatte er den Brief der Polizei gezeigt, doch habe man ihm nicht sonderlich große Bedeutung beigemessen. Die Drohung sei doch sehr vage, hatten ihm die Polizisten in Düren gesagt, und überhaupt: Was hieße das schon ›Fahr zur Hölle‹? Daraus einen Zusammenhang zur grünen Hölle Nürburgring herzustellen, sei sehr abwegig.

Drohungen habe er schon häufiger erhalten, meistens als anonyme Anrufe, räumte Bahn ein, und meistens, nein, immer seien sie nicht mehr als schwachsinnige Gebärden gewesen.

»Aber jetzt gibt es eine andere Dimension«, sagte Bahn ungehalten. »Jetzt hat einer tatsächlich auf mich geschossen und wollte mich tatsächlich töten.«

»Wollte er tatsächlich Sie töten?« Lieselotte stellte die Zwischenfrage, die Böhnke gestellt haben wollte.

»Haben Sie eine andere Erklärung?«, antwortete Bahn mit einer Gegenfrage. »Meine Kollegen wurden nicht vorher bedroht. Die Schüsse galten eindeutig mir. Und das arme Schwein, das mich überholt hatte, musste nur deshalb dran glauben, weil er mich zum falschen Zeitpunkt oder am falschen Ort überholte.«

Er lachte verbittert auf. »Aber mir will einfach keiner glauben. Die Polizei selbst steht ja auf dem Standpunkt, es habe gar keine Schüsse gegeben. Die gehen immer noch von einem Rennunfall aus.«

Wie er zu diesem Wissen komme, mischte sich Böhnke erstaunt ein.

»Ich habe eben mit Siggi telefoniert.«

Während des Essens bemerkte Gisela tadelnd: »Der

kann nicht ohne sein Handy sein. Der wird selbst noch im Sarg telefonieren, wenn ich ihm das Telefon nicht vorher abnehme.«

Unwirsch winkte Bahn ab. »Siggi hat heute vor ein paar Stunden noch einmal mit der Polizei am Nürburgring gesprochen. Die haben anscheinend keine Anhaltspunkte dafür, dass es sich nicht um einen Rennunfall gehandelt haben könnte.«

»Und damit stehen Sie jetzt ganz allein auf der Welt mit der Meinung, Sie sollten abgeschossen werden?« Böhnke runzelte nachdenklich die Stirn und kratzte sich am Kopf. »Es gibt nicht gerade viele Anhaltspunkte für Ihre These: Sie haben einen Drohbrief erhalten und Sie glauben, es sei auf Sie geschossen worden.« Er sei skeptisch, bekannte er. »Meine Kollegen am Nürburgring oder im zuständigen Kommissariat werden wohl wenig Veranlassung sehen, auf Ihre Behauptung einzugehen.« Er hob abwehrend die Hände. »Aber das ist deren Sache. Ich bin erstens nicht zuständig und zweitens pensioniert.«

»Und drittens glauben Sie mir ebenfalls nicht«, ergänzte Bahn aufbrausend. »Ich frage mich langsam, warum ich überhaupt zu Ihnen gekommen bin.«

»Du hast mir doch das schöne Huppenbroich gezeigt, wir haben gut gegessen, einen schönen, ruhigen Nachmittag verbracht und du weißt jetzt, was wirklich Stand der Dinge ist«, schaltete sich Gisela ein, um Versöhnlichkeit bemüht. »Und selbst wenn das Ergebnis nicht in deinem Sinne ist, so ist das doch wenigstens etwas.«

»Glaubst du der Attentatstheorie von Bahn? Oder überreagiert er?« Die Apothekerin sprach das Thema am Abend an, als sie bei einem Glas Wein auf der Terrasse den Tag ausklingen ließen. Allzu spät würde es nicht werden, da sie am nächsten Morgen die Apotheke in Aachen aufschließen musste.

Der Journalist und seine Frau hatten überstürzt das Treffen beendet, als Bahn über einen Leichenfund im Rurpark nahe Birkesdorf informiert worden war. Der tatsächliche Tod eines anderen Menschen verdrängte die Besorgnis, möglicherweise selbst beinahe Todesopfer geworden zu sein.

»Am einfachsten wäre es, der Ansicht der Polizei zu folgen, es habe keine Schüsse gegeben, sondern einen tragischen Rennunfall«, antwortete Böhnke. Aber er würde gerne einmal gedanklich den Ansatz nachverfolgen, den Bahn ins Spiel gebracht hatte. »Wenn wir davon ausgehen, dass tatsächlich geschossen wurde, stellt sich zwangsläufig die Frage, auf wen geschossen wurde oder geschossen werden sollte.«

Den erstaunten Blick von Lieselotte verstand er als Aufforderung, eine weiterführende Erklärung abzuliefern.

»Falls geschossen wurde, wobei mich zunächst nicht interessieren soll, wer womit geschossen haben soll, will ich wissen, wer das Opfer sein sollte. Es kommen im Prinzip drei potenzielle Opfer infrage, wenn ich davon ausgehe, dass der Schütze zielgerichtet vorging und nicht den erstbesten Rennfahrer ins Visier genommen hat. Möglicherweise galten die vermeintlichen Schüsse Bahns Kollegen Siggi, der eigentlich in dieser Runde noch am Lenkrad sitzen sollte, oder Bahn, der kurz vor dem Rennen einen passenden Drohbrief erhalten hatte, oder aber dem Fahrer des verunglückten Fahrzeugs, diesem …«, er überlegte, bis ihm der Name endlich wieder einfiel, »diesem Berthold Theberath.«

Seine Liebste sah ihn schmunzelnd an. »Du bist wieder fit. Da schlägt ja dein Bullenherz wieder höher. Da möchtest du am liebsten auf die Pirsch gehen. Oder?«

»Nicht unbedingt«, brummte Böhnke ein wenig geschmeichelt, »aber ich würde mir doch gerne ein paar Informationen besorgen.«

»Aber nicht mehr heute Abend. Das kannst du morgen machen, Commissario.«

7.

Je älter er werde, desto mehr Tatendrang würde er entwickeln, scherzte Liselotte, seine Apothekerin, staunend-amüsiert, als Böhnke ihr beim Frühstück ankündigte, er werde mit ihr zusammen nach Aachen fahren. Ausschlaggebend dafür war zum Teil auch die wenig ergiebige Information, die er im Sportteil seiner Tageszeitung über das 24-Stunden-Rennen erhalten hatte. Gerade einmal in einer knapp 20-zeiligen Meldung wurde über das Ergebnis des Rennens berichtet. Die Rennunterbrechung wegen eines schweren Unfalls mit einem Toten wurde nur im letzten Satz erwähnt. Viel wichtiger erschien es der Sportredaktion, sich lang und breit über den nächsten CHIO in der Aachener Soers auszulassen und die Befürchtung zu beschwichtigen, beim Pferdesport könnte es sich um eine dopingverseuchte Sportart handeln. Aber darüber machte sich Böhnke ohnehin keine Gedanken, weil er dem Reitturnier eh nichts abgewinnen konnte.

Statt in der Beschaulichkeit und Ruhe von Huppenbroich seine Erholung zu suchen und sich zu pflegen, wollte er in das quirlige Aachen. »Das passt doch gar nicht zu dir.«

Sie möge ihn bloß nicht zu sehr ärgern, sonst würde er gleich weiterfliegen nach Fuerteventura, drohte er scherzhaft. Die Insel hatte es ihm mit ihrer Ödnis angetan, obwohl ihm dort Ende des vergangenen Jahres beinahe das Lebenslicht ausgepustet worden war. Aber dieses Abenteuer hatte er ohne zusätzliche weitere gesundheitliche Einschränkungen überwunden. Wenn er nicht so an seinem neuen Zuhause im Hühnerstall hängen würde, könnte er es sich durchaus überlegen, in der ständigen Wärme und Sonne dort zur Winterszeit einige Zeit zu verbringen.

Aber ohne seine große Liebe?

Ausgeschlossen!

»Und um die besten Flüge auf die Kanaren herauszufinden, willst du bei mir im Büro den Rechner und das Internet blockieren?«, schmunzelte sie. »Entdeckst du etwa im Alter die Schönheit und Weite der Welt?« Bisher habe er es außer nach Huppenbroich privat gerade einmal zu einem Spaziergang auf den Lousberg zum Café Belvedere im Drehturm und zum Obelisken geschafft, der an den Geografen Tranchot erinnerte und von dem man einen weiten Blick über das Aachener Land werfen konnte. Oder er habe es gerade einmal geschafft, mit ihr durch den ›Öcher Bösch‹, wie die Aachener ihren Wald nennen, zu wandern. Die meisten Stellen und Orte in der Region hatte er durch seinen Beruf bei der Kripo Aachen kennengelernt.

»Deine Witze am frühen Morgen können mich nicht erheitern«, knurrte Böhnke, der sich ärgerte, sich am heißen Kaffee die Zunge verbrannt zu haben. Das kam davon, wenn er morgens von seinen Gepflogenheiten abrückte. Und zu diesen Gepflogenheiten gehörte es üblicherweise, den Kaffee kalt werden zu lassen. Aber ihm blieb dazu keine Zeit. Lieselotte drängte zum Aufbruch.

»Ich muss mich mal im Internet umschauen, ob ich etwas herausfinden kann, das mit Bahns Geschichte zusammenhängt. Vielleicht gibt es ja doch etwas, von dem ich nichts weiß, das ich aber wissen sollte.«

»Was man weiß, was man wissen sollte«, feixte die Apothekerin in Erinnerung an eine Ratesendung aus grauer Vorzeit des deutschen Fernsehprogramms. »Du glaubst etwa doch Bahn?«, fragte sie.

»Glauben ist zu viel gesagt. Ich möchte mich eher vergewissern, dass nichts an seiner Befürchtung dran ist. Auch zu seiner eigenen Beruhigung und Sicherheit.«

»Und was ist mit der Drohung?«

»Wenn ich jede Drohung ernst genommen hätte, die ich in meinem Berufsleben erhalten habe und die mir so mancher Verbrecher ins Gesicht gebrüllt hat, dann hätte ich mich schon längst mit einer neuen Identität in die Anonymität einer entlegenen Kanareninsel zurückziehen müssen.«

Die Begeisterung beim Personal hielt sich in engen Grenzen, als die Chefin mitteilte, das Büro sei bis zum Mittag blockiert.

»Länger hast du nicht, Commissario«, drohte sie liebevoll, »sonst kündigen mir meine Mädels.«

Erst das Rennen, dann die Personen. So hatte sich Böhnke seine Vorgehensweise vorgestellt. Er hatte, auch schon in seinem Beruf, immer wieder auf die verfluchte digitale Technik, die Abhängigkeit von den empfindlichen Rechnern und den laufenden Abstürzen während der Arbeit geflucht.

»Das ist alles Mist!«, hatte er unlängst bei einem Elektromeister geschimpft, als er über die Möglichkeit eines Internetanschlusses in Huppenbroich nachgefragt hatte.

»Die verkaufen uns das Zeug als Hightech, in Wirklichkeit ist es unausgereift. Wissen Sie, was das Beste ist, wenn nichts mehr klappt und Ihr Rechner mal wieder einen Selbstmordversuch unternimmt, sich also aufhängt?«, fragte der Techniker, und gab selbst die Antwort: »Einfach alle Stecker rausziehen, die Stromzufuhr kappen und bis zehn zählen. Wenn Sie dann alles wieder eingestöpselt haben und es tut sich immer noch nichts, schmeißen Sie den Schrott in die Tonne. Ansonsten haben Sie wenigstens wieder für ein paar Tage Ruhe mit der Technik. Vielleicht.«

In der Hoffnung, die elektronische Technik würde ihn nicht im Stich lassen, machte sich Böhnke an seine Internetrecherche. Die Auswahl an Seiten über das 24-Stunden-Rennen war geradezu atemberaubend groß. Böhnke schränkte die Auswahl auf die Nachrichten ein, und bekam dadurch x-fach die Information über das Ergebnis des gestrigen Rennens. Vielfach deckten sich die Zeitungsberichte über Verlauf und Endstand, der Tod eines Rennfahrers spielte eine untergeordnete Rolle. Viel wichtiger schien den Berichterstattern der Hinweis, dass wegen des ungewöhnlich milden Wetters, das zu dieser Jahreszeit in der Eifel so selten wie Schneefall im September auf Mallorca war, die Zuschauerzahl auf eine neue Rekordsumme von rund 200.000 geschätzt worden war, was bei der Abreise am Sonntagnachmittag zu massiven Verkehrsstaus rund um den Nürburgring geführt habe.

Einen Hinweis, wonach Theberath vielleicht Opfer eines Attentats geworden sein könnte, vermisste Böhnke. Auch bei den Polizeimeldungen, die über OTS ins Netz gestellt worden waren, fanden sich keine Anhaltspunkte auf einen möglichen Anschlag. Dort war im Bericht der Einsatzwache Nürburgring der Polizeidirektion Mayen im spröden Beamtendeutsch die Rede von ›einem tödlich Verunfallten während eines Autorennens auf dem Nürburgring am Samstag gegen 16.47 Uhr‹.

Eine Diskussion über einen möglichen Rennabbruch

wurde ebenfalls nirgendwo in den Medien thematisiert. Nur eine Tageszeitung, die in der Region rund um die Eifelrennstrecke verbreitet wurde, hatte in einem zweiten Artikel einen Nachruf auf Theberath veröffentlicht.

Das Ergebnis, das Böhnke für sich aus den Berichten zog, war ernüchternd. Ein Unfalltoter, na und? An jedem Tag stirbt irgendwo in Deutschland ein Mensch auf den Straßen, und wenn der Unfall unverschuldet war, so kann man nur von Pech sprechen. Würde deswegen irgendein Autofahrer auf sein Auto verzichten?

Der Zeitungsbericht über Theberath war mit Informationen vollgestopft, die in anderen Artikeln nur bestätigt, aber nicht ergänzt wurden.

Berthold Theberath war zum Zeitpunkt des Unfalltods 40 Jahre alt, seit etwas mehr als einem Jahr mit der 30-jährigen Elisabeth verheiratet und kinderlos. Gemeinsam mit seinem Bruder Anton, 36 Jahre alt, hatte er eine Kfz-Werkstatt mit Gebrauchtwagenhandel in Aachen-Vaalserquartier betrieben. Die beiden Brüder hatten die Firma vom Vater übernommen, der wiederum das Geschäft seines Vaters fortgesetzt hatte, damals noch mit dem Verkauf von Neuwagen der niederländischen Marke DAF. Die Theberaths waren nach dem Bericht eine Rennfahrerfamilie der dritten Generation. Der Tod von Berthold Theberath war nicht der erste Unfalltod in der Familiengeschichte. Ein Onkel hatte dieses Schicksal ebenfalls bei einem Autorennen in der grünen Hölle in der Eifel ereilt.

Auch gab es ein Foto von Theberath. Es zeigte ihn in Zivil, von einer Frau, offenbar Elisabeth, eng umschlungen. Die beiden lachten ebenso in die Kamera wie die zwei Männer an den Seiten. Der eine war unverkennbar, nach dem Gesicht zu urteilen, der jüngere Bruder von Berthold,

Anton Theberath, der andere war vermutlich Wolfgang Schulz. Wie Böhnke dem Zeitungsartikel entnommen hatte, betrieben die Brüder ihr auf Tuning spezialisiertes Unternehmen mit einem sehr geringen Personalaufwand. Neben den beiden Kfz-Meistern arbeitete auch Elisabeth in dem Familiengeschäft, Sie war für die Buchhaltung zuständig, während die beiden Brüder bei ihrer Arbeit von einem Mechaniker unterstützt wurden, dem ebenfalls 36-jährigen Wolfgang Schulz.

Eine Bestätigung seiner Annahme fand Böhnke indes nicht beim Bildtext. Der Schreiberling hatte darin nur Berthold Theberath namentlich erwähnt.

Rasch erkannte Böhnke, dass es überflüssig und unergiebig war, sich weiter mit Theberath zu beschäftigen. Er hatte alle Informationen, die er für den Moment brauchte, gefunden. Nichts deutete darauf hin, Theberath könnte tatsächlich das Anschlagsopfer gewesen sein – wenn es denn überhaupt einen Anschlag gegeben haben sollte.

Verwunderung, vielleicht sogar Respekt machte sich in ihm breit, als sich Böhnke auf die Spuren von Bahn im Internet machte. Der Journalist schien nicht nur gut im Geschäft zu sein, sondern auch bei den Kollegen anerkannt. So hatte er wegen seiner Serie über die Gnadenlosen einen viel beachteten Journalistenpreis erhalten. Wegen seines uneigennützigen Engagements bei einer Säuglingsentführung war er vom Ministerpräsidenten des Landes Nordrhein-Westfalen mit der Verdienstmedaille des Landes ausgezeichnet worden.

Das sieht man dem Kerl gar nicht an und traut es ihm auch nicht zu, staunte Böhnke anerkennend. Ihm fiel der Spruch ein: ›Viel Feind, viel Ehr‹ oder umgekehrt: ›Viel Ehr, viel Feind‹. Sollte es doch jemanden, dem Bahn bei seinen zum Teil spektakulären Geschichten zu kräftig auf die Füße getreten hatte, geben, der eine offene Rechnung begleichen und den Journalisten töten wollte?

Wie Böhnke wusste, hatte Bahn oft in Düren mit dem ehemaligen Kriminalkommissar Küpper zusammengearbeitet. Vielleicht war es ja an der Zeit, den Kontakt zum Dezernenten im Landeskriminalamt aufzunehmen, dachte sich Böhnke. Eigentlich war ihm ja der alte Kumpel noch einiges schuldig.

Bahn hatte augenscheinlich keine Bedenken, seine Privatadresse im Internet jedermann zugänglich zu machen. Seine Telefonnummer und seine Adresse in Düren-Rölsdorf waren problemlos zu finden. Warum auch nicht? Die Adresse stand wahrscheinlich auch im örtlichen Telefonbuch. Was sollte da eine Geheimniskrämerei im Internet? Wer Bahn ans Fell wollte, würde ihn auch ohne Internet ausfindig machen.

Bahn war seit drei Jahren mit seiner Sandkastenliebe Gisela verheiratet. Das Hochzeitsfoto der beiden war damals im Dürener Tageblatt erschienen und auch unter den Bildern bei Google im Internet zu besichtigen.

Na ja, dachte sich Böhnke, vielleicht musste sich ein Journalist zu einer öffentlichen Person machen, damit er nicht nur wahrgenommen, sondern auch bei spektakulären Dingen informiert wurde.

Lars Krupp war da erheblich bescheidener. Über ihn und seine berufliche wie private Tätigkeit fand sich fast nichts in der immensen Informationsfülle des Internets. Die vorhandenen Informationen über Krupp waren veraltet, hatte Böhnke schnell erkannt. Sie stammten aus einer Zeit, als der junge Mann noch bei einer anderen Zeitung gearbeitet hatte. Krupps aktueller Arbeitnehmer, der Herausgeber eines Anzeigenblattes aus Mönchengladbach, hatte es offensichtlich nicht einmal für erforderlich angesehen, den Wechsel von Krupp in seine Redaktion zu dokumentieren. Ob dieser Umstand den Stellenwert darstellte, den eine Redaktion bei einem Anzeigen- und Wochenblatt hatte? Böhnke wollte sich darüber keine Gedanken machen.

Die Suche nach Wilfried aus der Schnee-Eifel, den alle Welt aus unerklärlichen Gründen nur Siggi nannte, stellte Böhnke schnell ein. Was immer er als Suchbegriffe eingab, Siggi, Wilfried, Schnee-Eifel, es kamen nur uninteressante Hinweise. Lediglich einer ließ Böhnke leicht schmunzeln: Da wurde in der tiefsten Eifel ein Nachtklub nur für Männer mit dem Namen ›Siggi‹ angepriesen und beworben, der von einem Wilfried geleitet wurde.

Langsam werde es Zeit, sich vom Acker zu machen, mahnte ihn seine bessere Hälfte. »Es ist gleich Mittag, die Bestellungen müssen schleunigst raus, sonst kriege ich richtig Ärger mit meinen Kunden.«

»Moment«, knurrte Böhnke. »Ich bin gleich so weit. Ich muss nur noch eine Sache klären, die unbedingt geklärt werden müsste: Wenn der Anschlag Bahn gegolten haben sollte, woher wusste der vermeintliche Attentäter, dass Bahn überhaupt am Steuer saß?«

Böhnke erinnerte sich an die vielen Monitore, die während des Renngeschehens jeweils den aktuellen Stand wiedergaben. Herauszufinden, dass Bahn gemeinsam mit Krupp und einem ›Siggi‹ den Wagen mit der Nummer 472 pilotierte, war nicht schwer. Die ausführlichen Teilnehmerlisten hatten schon Tage vor dem Start im Internet gestanden. Auf den Monitoren war sicherlich auch verzeichnet worden, wann welcher Wagen in die Boxengasse eingefahren war und ob es beim Boxenstopp einen

Fahrerwechsel gegeben hatte. Was Böhnke nicht einmal mehr erstaunte, war die Möglichkeit, rückwirkend sämtliche Informationen über das Rennen elektronisch abzurufen. Und so fand er geradezu mit Leichtigkeit heraus, zu welchem Zeitpunkt Bahn das Lenkrad übernommen hatte.

Was er im Nachhinein feststellte, hatte in der Echtzeit ein vermeintlicher Attentäter mit Sicherheit mitbekommen.

Da stellte sich prompt die nächste Frage. Hatte der vermeintliche Attentäter technisch die Möglichkeit gehabt, die Information während des Rennens übers Internet abzurufen oder hatte er eventuell einen Komplizen, der ihn aus der Boxengasse heraus als stiller Beobachter benachrichtigte? Immer vorausgesetzt, es hatte tatsächlich ein Attentat gegeben; dass es Bahn gegolten haben könnte, schien Böhnke möglich.

Im Falle eines Attentats war Bahn das wahrscheinlichste Ziel gewesen, wahrscheinlicher als Theberath, Krupp oder der Schnee-Eifel-Siggi.

8.

Er hätte es sich denken können, nein, müssen, wie die Entgegnung von Lieselotte auf seine Bemerkung lauten würde. Immerhin kannten sie sich schon seit rund 30 Jahren. Aber jetzt gab es kein Zurück mehr, jetzt war der Satz schon heraus.

»Wegen Bahn bekomme ich keine grauen Haare«, hatte er gesagt, als sie am Abend nach Huppenbroich zurückfuhren. Sie hatte ihm nicht zumuten wollen, mit dem Linienbus in die Eifel zu gelangen. Da fuhr sie ihn lieber selbst, auch wenn sie sofort wieder zurück musste wegen ihres Nachtdienstes in der Apotheke.

»Erstens hast du schon graue Haare und zweitens musst du unbedingt zum Friseur. Der Besuch ist längst überfällig. Und außerdem machen die langen Haare dich noch viel älter, als wie du bist.«

Böhnke strich sich über den Kopf. Zugegebenermaßen war sein Bürstenhaarschnitt ein wenig aus der Fasson geraten.

»Du hättest am Nachmittag ruhig zum Friseur gehen sollen, statt in einem Straßencafé herumzulungern und hübschen Studentinnen hinterherzuschauen.«

»Der Friseur meines Vertrauens sitzt in Simmerath und hat außerdem momentan Urlaub.«

Der kurze Blick seiner Partnerin war voller Zweifel.

»Willst du meine Behauptung etwa infrage stellen?«

»Du stellst ja auch Bahns Behauptung infrage«, entgegnete sie schnell. »Solange du mir nicht beweisen kannst, dass dein Friseur tatsächlich in Urlaub ist, solange bewerte ich dies als reine Schutzbehauptung.«

»Und was hat das mit Bahn zu tun?« Böhnke wusste nicht, was Lieselotte beabsichtigte.

»Nichts«, antwortete die Apothekerin, »wobei ich allerdings bezweifle, dass seine Behauptung eine reine Schutzbehauptung ist.« Sie ließ ihn über ihre These grübeln, während sie in der zulässigen Geschwindigkeit über die Bundesstraße durch Roetgen schlich.

Was er zu tun gedenke, fragte sie endlich.

»Wegen Bahn werde ich gar nichts tun. Wegen des Friseurs werde ich morgen nach Simmerath laufen und ansonsten werde ich mich einer Übersetzung widmen«, antwortete er. Übersetzen, das war für ihn eine lieb gewordene Beschäftigung, ein kostenloses Hobby, bei dem er die Gebrauchsanweisungen für Haushaltsgegenstände in ein verständliches Deutsch übertrug.

Allerdings biss er sich an der aktuell vor ihm liegenden Gebrauchsanweisung für einen Videorekorder gewissermaßen die Zähne aus. Was ein Schalter von dritter Seite an links für eine Funktion haben sollte, wenn er identisch war mit dem Schalter von dritter Seite an rechts und es überhaupt nur fünf Knöpfe auf der Bedienungsleiste gab, erschloss sich ihm nicht, weil ihm das Wissen um ein ›Switching packin‹ einfach fehlte. Ein solches Sprachengewirr kam dann dabei heraus, wenn eine ostasiatische Gebrauchsanweisung zunächst ins Englische und danach in einer zweiten Stufe in angebliches Deutsch übersetzt wurde.

Nachdem er schon mehrere Abende verzweifelt an der Anweisung getüftelt hatte, schlug ihm seine Liebste vor, damit aufzuhören: »Videorekorder haben doch längst ausgedient, jetzt gibt es doch nur noch DVD-Player.«

Aber von dieser Änderung auf dem Elektrotechnik-Sektor wollte er sich nicht beirren lassen. Also knobelte er an der Anleitung und an dem vermaledeiten dritten Knopf von rechts und links.

Der Alltag hatte ihn endlich wieder.

Von wegen Urlaub. Ein Friseur in der Eifel fährt nicht in Urlaub. Erstens hat er kein Geld dafür und zweitens lebt er doch ständig in einer Urlaubsregion. Der Friseur fuhr rasant mit dem Kurzhaarschneider über Böhnkes Kopf und sorgte für die gleichmäßige Länge der grauen Haare.

So schnell ließ sich also eine Behauptung bestätigen oder widerlegen, dachte sich Böhnke schmunzelnd. Er wusste, was seine bessere Hälfte bemerken würde, wenn sie am Wochenende kam.

Bahns Behauptung blieb wahrscheinlich im Raum stehen. Es gab die angebliche Drohung und das angebliche Attentat. »Das reicht nicht«, sagte Böhnke laut zu sich, als er durch das Tiefenbachtal auf seinem Rückweg am Jugendzeltplatz angekommen war und er sich sammeln musste, um die Abkürzung aus dem Tal ins Dorf über den Wiesenweg zu bewältigen.

Als er die Haustür erreicht hatte, hatte er die Anstrengungen des steilen Weges bergauf wieder verkraftet. Das war schon ein wenig riskant, bis an seine bescheidene Leistungsgrenze zu gehen, nur um die Serpentinen abzukürzen. Es könnte ihm durchaus passieren, dass er mitten auf der Strecke schlappmachen würde, und dann wäre es aus, hatte ihn sein Hausarzt gemahnt. Andererseits würde er seinen Organismus und seinen Körper trainieren, was vielleicht seinem Gesundheitszustand zuträglich sei. Mit anderen Worten: Die Ärzte legten sich nicht fest und überließen ihm die Entscheidung, dachte er sich, als er in den Hühnerstall trat.

Schon im kleinen Flur hörte er das Klingeln seines Handys. Er hatte, wie so oft, vergessen, es einzustecken, als er das Haus verlassen hatte, obwohl er Lieselotte hatte versprechen müssen, es immer bei sich zu tragen. Möglicherweise könnte es in einem Notfall sein Leben retten. Wie gut, dass das Gerät wenigstens an einer Stelle im Wohnraum lag, an der es einen Empfang gab. In der Küche wäre es nicht angesprungen.

»Endlich!« Böhnke vernahm zunächst nur eine hektische Männerstimme, die er auf Anhieb niemandem zuordnen konnte. »Endlich heben Sie ab. Ich versuche schon seit einer Ewigkeit, Sie zu erreichen, und habe mir die Finger wund gewählt«, keuchte die Stimme, die der von Bahn sehr ähnlich war.

»Sind Sie es, Herr Bahn?«, fragte Böhnke vorsichtig.

»Ja. Wer denn sonst, Mann?« Der Journalist war unüberhörbar aufgebracht. Irgendetwas stimmte mit ihm nicht.

»Was ist passiert?«

»Was soll schon sein?« Bahn lachte bitter, vielleicht sogar hysterisch auf. »Meinen Sie etwa, ich rufe Sie an, weil mein Mittagessen angebrannt ist? Mein unbekannter Freund hat mir wieder einen Liebesbeweis ins Haus geschickt.« Er konnte oder wollte sich nicht beruhigen.

»Was hat er denn diesmal geschrieben?« Langsam wuchs auch in Böhnke die Anspannung.

»Er hat überhaupt nichts geschrieben.« Wieder lachte Bahn gequält auf. »Er hat mir gleich ein ganzes Paket geschickt. Und wissen Sie, was da drin ist? Eine tote Katze. Richtig appetitlich. Ist wohl klar, dass ich bei jemandem auf der Abschussliste stehe.«

Böhnke machte sich keine Mühe, Bahn zu beruhigen.

Das war ohnehin sinnlos, dachte er, und außerdem hatte der Mann ja noch eine Frau.

»Absender?«, fragte er.

»So schlau war ich auch schon. Absender des Päckchens ist ein Mann, der am Freitag in einer Todesanzeige im Dürener Tageblatt genannt worden ist. Das habe ich schon rausgekriegt. Dafür brauche ich keine professionellen Schnüffler von der Nideggener Straße.« Bahn schnaufte durch. »Sie haben mir ja Zeit genug gelassen, meine eigene Recherche anzufangen.«

Böhnke überhörte die unbegründete Kritik an seiner Abwesenheit. »Haben Sie denn überhaupt die Dürener Polizei eingeschaltet? Was sagt die?«

»Die Bullenpenner!«, fauchte Bahn. »Mein spezieller Freund Wenzel höchstpersönlich sagt mir doch glatt ins Gesicht, mit einem solchen Dummen-Jungen-Streich müsste ich immer rechnen bei meinem ständigen Einmischen in die Angelegenheiten anderer Leute. Die glauben mir nicht, Herr Böhnke.« Erneut legte Bahn eine Atempause ein. »Aber ich hoffe, dass Sie mir glauben. Oder irre ich mich?«

Es fiel ihm schwer, sagte sich Böhnke, aber diese Ansicht würde er Bahn gegenüber niemals äußern. »Ein Dummer-Jungen-Streich scheint mir das nicht zu sein. Erst der Brief, jetzt die Katze. Da hat Sie anscheinend jemand auf der Abschussliste. Da will Ihnen jemand ganz gewaltig an den Kragen.«

»Helfen Sie mir, diesen Arsch zu finden?«

Wie konnte er? Böhnke sah keinen Erfolg versprechenden Ansatz, wenn schon seine Kollegen in Düren nicht interessiert waren. »Ich helfe Ihnen gerne, weiß aber nicht, wie. Offiziell kann ich nicht ermitteln, das wissen Sie genauso gut wie ich.« Er ärgerte sich über sich selbst, weil er Bahn

Hoffnungen machte, die er nicht erfüllen konnte. »Ich kann Ihnen im Prinzip nur raten, vorsichtig zu sein und nach möglichen Verdächtigen Ausschau zu halten. Mehr geht im Moment nicht. Mir sind die Hände gebunden«, meinte er entschuldigend, um nicht sagen zu müssen, dass er gar nichts tun könne.

»Ich muss also warten, bis der Kerl mich umgebracht hat, dann finde ich ihn vielleicht. Schöne Aussichten!« Bahn war zynisch geworden und damit fast wieder der Alte. Böhnke hatte noch keinen erfahrenen, vom Berufsleben geprägten oder verschlissenen Journalisten getroffen, der kein Zyniker war.

Offensichtlich hatte er Bahn verprellt. Der Journalist ließ in den nächsten Tagen nichts mehr von sich hören und Böhnke hoffte, dass die Sache im Sande verlief. Vielleicht hatte er ihn auch beruhigen können. Er widmete sich wieder seinem Hobby und gewöhnte sich langsam an den Gedanken, die Anleitung doch in den Mülleimer zu werfen, wie auch den Videorekorder, der längst schon zum antiquarischen Inventar oder zum Elektroschrott gehörte. Er nahm sich lieber eine Fingerübung vor, wie er die leichten Verdreher der deutschen Sprache bezeichnete, die er gelegentlich auf Papieren oder Schildern fand. Einer war noch von seinem kurzzeitigen Aufenthalt auf Fuerteventura übrig geblieben. Im Bad seines Hotelzimmers hatte er eine Anregung zum Gebrauch der Handtücher gefunden: »Aufgegängte Handtücher bedeutet wir benützen Sie nochmals.« Diese kleinen sprachlichen Fehlleistungen waren hübsch und nett und machten das Hotel sympathisch, befand Böhnke. Immerhin bemühte es sich, seinen deutschen Gästen Hilfestellungen zu geben.

Seine eigene Hilfestellung für Bahn war wohl weniger anregend gewesen, geschweige denn richtig.

»Jetzt wird es mir aber endgültig zu bunt!«, brüllte Bahn, als er überraschend am Nachmittag im Türrahmen stand.

Böhnke hatte gerade sein mittägliches Nickerchen gemacht und wollte sich auf seinen Spaziergang durch Huppenbroich begeben, als Bahn auftauchte.

Der Journalist schäumte beinahe vor Wut und Ärger. Oder vor Angst? Seine Gemütslage war ebenso wirr und verstört wie sein Blick und sein Handeln.

»Sehen Sie!«, rief er mit sich überschlagender Stimme und hielt Böhnke mit zittrigen Händen einen Pflasterstein hin. »Das Ding wurde mir heute gegen zwölf ins Küchenfenster geworfen. Ich saß gerade auf dem Klo. Ehe ich reagieren konnte, waren die Kerle auch schon weg. Aber das ist ja noch nicht einmal das Schlimmste. Der Stein war in ein Blatt Papier eingewickelt.«

Immer noch in Rage, fummelte Bahn in der linken Tasche seiner Jeans und zog ein zerknülltes Blatt Papier hervor. »Lesen Sie!«

»Das nächste Mal klappts«, las Böhnke stirnrunzelnd. Da schien doch mehr an der Angelegenheit dran zu sein, als er gedacht hatte.

»Was sagt Ihre Frau dazu?«

»Nichts. Sie weiß nichts von dem Brief. Sie ist nämlich vor ein paar Tagen nach Mallorca geflogen. Da will ich sie nicht beunruhigen. Und um Ihrer nächsten Frage zuvorzukommen, die Sie auch stellen werden: Meine Nachbarn haben alle nichts mitbekommen. Die habe ich selbstverständlich gefragt.«

»Sie waren schon bei der Polizei?«

»Natürlich«, schnaubte Bahn. »Und wissen Sie, was die Pflaumen gesagt haben? Ich solle eine schriftliche Anzeige aufgeben und detailliert darstellen, was sich alles ereignet hat. Ich glaube, die nehmen mich immer noch nicht richtig ernst.«

Böhnke wollte sich dieser Bewertung nicht anschließen. Wahrscheinlich hatten seine Kollegen Bahn beruhigen wollen, dieser aber ihre Absicht in seiner Aufregung falsch verstanden.

»Wie dem auch sei.« Er kratzte sich nachdenklich hinter dem rechten Ohr. »Wir sollten noch einmal intensiv überlegen, was war, was ist, damit es zu dem kam, was jetzt ist, und was wir tun können, damit es nicht mehr so ist, wie es momentan ist. Kurzum: Ich will Ihnen bei der Suche nach dem Steinewerfer helfen.«

»Und was ist mit dem Drohbriefschreiber, dem Katzenfreund und dem Attentäter auf dem Nürburgring?«

»Wenn wir den Steinewerfer erwischen, haben wir die Sache bestimmt geklärt. Oder glauben Sie etwa an unterschiedliche Typen?« Böhnke lächelte milde. »Je häufiger Ihr Feind tätig wird, umso größer ist unsere Chance, dass wir ihn erwischen.«

»Oh«, stöhnte Bahn, »dann muss ich also doch warten, bis er mich abmurkst. Schöne Aussichten!«

»Keine Bange«, versuchte Böhnke zu beruhigen. »So weit wird es nicht kommen.«

»Und was haben Sie jetzt vor?«

»Ich nicht, Herr Bahn. Wir werden ein intensives Gespräch führen müssen. Am besten zu dritt.«

9.

Der Dritte im Bunde, das war der langjährige Vertraute von Bahn bei der Kriminalpolizei in Düren, der inzwischen zum Kriminalrat beförderte Küpper. Böhnke würde den Dozenten am LKA als Freund bezeichnen, auch wegen oder trotz der Geschehnisse auf Fuerteventura und deren Vorgeschichte. Auf Böhnkes Wunsch hatte Bahn den Kriminalrat mit nach Huppenbroich gebracht.

»Hier könnte ich glatt mein Pensionärsdasein fristen, quasi mit Zweitwohnung«, meinte Küpper bei der Begrüßung.

Nicht doch, dachte sich Böhnke, es gab schon zu viele Zweitwohnungsbesitzer in Huppenbroich, die lediglich am Wochenende einfielen und sich nicht am Dorfleben beteiligten. Wie er zugeben musste, war er ursprünglich auch nur ein Gelegenheitsbewohner von Huppenbroich gewesen, doch hatte er sich im Laufe der vielen Jahre integriert und galt schon fast als Einheimischer, nachdem er die passive Mitgliedschaft im Mandolinenorchester angenommen hatte und sich bei den Jahreskonzerten bei seiner Spende nicht lumpen ließ. Aber es gab sicherlich auch andere Gründe, weshalb die Huppenbroicher stolz auf ihren Kommissar waren.

Ursprünglich hatte Böhnke seine Besucher bei Kaffee und Kuchen auf der Terrasse bewirten wollen. Doch hatte ihm das Wetter einen Strich durch die Rechnung gemacht. Es war wieder normal geworden, was bedeutete, dass es trotz des späten Frühlings fast winterlich kalt war.

Notgedrungen, aber auch gerne, hatte Böhnke deshalb bereits am Morgen den mächtigen Kachelofen befeuert, der eine wohlige Wärme abstrahlte.

»Wenn nur das verdammte Eifelwetter nicht wäre«, fuhr Küpper fort, der sich vor dem Ofen die Hände rieb. Küpper, der wegen seines stets betrübten Hundeblicks im Kollegenkreis Bernhardiner genannt wurde, war der Einladung gerne gefolgt. Der Mann hätte als Böhnkes Bruder durchgehen können, fast gleich groß, im gleichen Alter, ebenfalls schlank und ebenfalls mit kurzem grauen Haar.

»Ich versuche doch lieber, Helmut zu helfen, als in Düsseldorf über aktuelle Entwicklungen bei Ermittlungstheorien zu brüten. Das ist doch alles Tinnef«, meinte er nicht gerade begeistert von seiner wichtigen Ausbildertätigkeit für angehende Spitzenkräfte der Kriminalpolizei.

Er war von Bahn ausführlich in Szene gesetzt worden. Die beiden hatten immer ein enges Verhältnis gepflegt und dabei manches Verbrechen aufgedeckt. Der Spagat zwischen der Arbeit der Presse und der Tätigkeit der Verbrechensaufklärung war ihnen immer wieder gelungen, ohne dass einer den anderen übervorteilt hätte.

»Und jetzt sollst du tatsächlich selbst Opfer eines Verbrechens werden.« Küpper schüttelte den Kopf. »Kann ich mir eigentlich nicht vorstellen.«

»Ist aber so!«, brauste der Journalist sofort auf. »Meinst du etwa, das ist ein Kinderspiel, was da gerade abgeht?«

»Immer mit der Ruhe«, mischte sich Böhnke ein, der am Küchentisch den Kaffee eingeschenkt hatte. Die drei Männer mussten sich den Platz teilen, auf dem üblicherweise nur zwei saßen und aßen.

»Ich möchte gerne mit euch einen Ansatz verfolgen, der uns weiterbringen könnte«, fuhr der Gastgeber fort. »Herr

Bahn, wer könnte Ihnen den Tod wünschen? Wer hasst Sie so sehr, dass er Sie unter die Erde bringen will? Diese Frage stelle ich mir. Und daraus folgt die nächste Frage: Warum will Ihnen jemand das Lebenslicht auspusten?« Er runzelte die Stirn, während er seine beiden Besucher betrachtete. »Dabei unterstelle ich die Ernsthaftigkeit der Anschläge.«

Küpper räusperte sich. »Also, Helmut, wem hast du auf den Schwanz getreten? Oder wem trittst du demnächst auf denselben?«

»Du meinst, die Geschichte hat etwas mit einer aktuellen Recherche zu tun?« Er konzentrierte sich und führte nachdenklich die Kaffeetasse zum Mund. Er zitterte leicht, wie Böhnke beobachtete. Bahn schien gewaltig unter Stress zu stehen.

»Vielleicht, vielleicht auch nicht«, antwortete der Bernhardiner. »Nichts ist unmöglich.«

»Also«, Bahn pustete durch. »Ihr müsst mir versprechen, nichts weiterzusagen. Vor allem Krupp nicht, denn die Geschichte, an der ich gerade dran bin, spielt auch im Kreis Heinsberg, und das ist sein Revier. Angeblich will eine Schokoladenfabrik ihre Betriebsstätte entweder in den Kreis Düren oder in den Kreis Heinsberg verlegen. Das würde hier wie dort einige Hundert Arbeitsplätze schaffen. Aber es hat den Anschein, als ob es bei den Genehmigungen und den Grundstücksgeschäften nicht unbedingt gesetzeskonform zugeht. Da habe ich mit meiner Recherche vielleicht einigen zu feste auf den Schlips getreten. Aber, wie gesagt, haltet bloß die Klappe!«

Das war typisch, dachte sich Böhnke. Ein ähnliches Verhalten eines Journalisten hatte er auch schon miterlebt. Da gönnte einer trotz aller Kollegialität dem anderen nicht das Schwarze unter dem Fingernagel, wenn er einer Exklusivgeschichte hinterherjagte. Aber ging er dafür auch über Leichen? Ehrlich gesagt, traute er eine derartige Kriminalität Krupp nicht zu. Aber man konnte niemand hinter die Augen blicken, wie er schon mehrfach leidvoll erfahren hatte. Doch wollte er das Thema Krupp jetzt nicht thematisieren.

Selbst wenn das eigene Leben in Gefahr schien, war die Exklusivität anscheinend wichtiger als die Sicherheit des eigenen Lebens. Bahn würde dieser Behauptung zwar widersprechen, da war sich Böhnke sicher, aber sie traf trotzdem zu, und Bahn würde auch danach handeln.

»Das mag ein Ansatz sein«, mischte sich Küpper ein. »Aber ich glaube nicht, dass ein Konzern oder eine Verwaltung zum einem zu einem so radikalen Mittel greift und zum anderen derart geschäftsschädigend zu Werke geht. Ich meine eher, es hat etwas mit der Vergangenheit zu tun.«

»Glaube ich auch«, bestätigte Böhnke, »zumal jeder Betroffene davon ausgehen muss, dass es nicht nur einen Journalisten gibt, der sich für das Unternehmen interessiert. Es wird ja wohl so sein, dass auch andere etwas gehört haben könnten oder hellhörig würden, wenn Ihnen etwas zustoßen würde.«

Bahn blickte kurz zu Böhnke, dann wandte er sich an Küpper. »Du meinst also, jemand will sich an mir rächen?«

Küpper hob beschwichtigend die Arme. »Kann sein, muss aber nicht sein. Möglicherweise will ein Hansel auch nur verhindern, dass du ihn nochmals ins Visier nimmst. Beispielsweise, weil er gerade aus dem Knast gekommen ist.«

Bahn konnte sich ein Schmunzeln nicht verkneifen. »Du solltest ja wohl meine Gedächtnisstütze sein. Wenn ich mich richtig erinnere, habe ich nur Fälle geknackt und dokumentiert, an denen du auch in irgendeiner Weise beteiligt gewesen bist. Ohne dich war und ist in Düren für mich nichts mehr los.« Sein Bedauern war nicht zu überhören.

Es geht halt nichts über einen richtigen Mord oder einen tollen Banküberfall, hatte einmal ein Journalist – oder sollte er sagen, ein angeblicher Journalist? – zu Böhnke gesagt. Die Denkart dieser Spezies würde ihm wahrscheinlich immer ein wenig fremd bleiben.

»Was hast du denn so auf Lager?«, fragte der Bernhardiner. Er hatte zu einem der Rollkuchen gegriffen und biss herzhaft hinein. »Ich höre«, sagte er kauend.

»Lass mich überlegen.« Auch Bahn griff zu den bereitstehenden Teilchen auf dem Kuchenteller. Er genierte sich nicht, während des Kauens zu reden. »Das wäre als Erstes der Mord an meinem früheren Kollegen Konrad Schramm, dann die Geschichte auf der Annakirmes, die Krankenhausgeschichte, der Drogenhandel und die Entführung, für die du mich nach Mallorca gescheucht hast.«

»Ist das alles?« Küpper dachte ebenfalls nach. »Wenn ich mich richtig erinnere, war da auch noch die Sache mit dem streikenden Arzt und der ermordeten Hausfrau.«

Bahn stöhnte. »Ich weiß selbst nicht, ob du jetzt alle Fälle genannt hast oder ob etwas fehlt.«

Es müsse sich ja nicht unbedingt um einen Täter aus dem Verbrechermilieu handeln, gab Böhnke zu bedenken. Er griff schnell zum letzten Rollkuchen, bevor ihm seine Gäste auch noch dieses Teil vor der Nase wegschnappten. »Sie haben gewiss auch manche Geschichte aufgedeckt, die nicht unbedingt einen kriminellen Hintergrund hatte. Vielleicht haben Sie nach einem Skandal jemanden gesellschaftlich oder wirtschaftlich bloßgestellt oder sogar ruiniert.«

»Dann hört die Liste gar nicht mehr auf.« Bahn schluckte schwer. »Immerhin mache ich den Job schon seit über 20 Jahren. Da ist so einiges zusammengekommen.«

»Mit anderen Worten«, Böhnke übernahm wieder das Gespräch, »wir suchen quasi eine Nadel im Heuhaufen.«

So könne man sagen, bestätigte Küpper. »Ich werde uns ein paar Hausaufgaben verteilen. Ich suche nach Haftentlassenen, die du in den Knast geschickt hast. Du kümmerst dich um deine Skandale.«

»Und ich?« Böhnke war gespannt, welche Aufgabe auf ihn warten würde.

»Und du, mein Freund, du sorgst dafür, dass bei unserem nächsten Treffen hier wieder die leckeren Rollkuchen auf dem Tisch stehen. Beim Kaffee musst du noch etwas üben. Der war zu dünn.«

Ob er nicht doch noch einmal zur Dürener Polizei gehen sollte, fragte Bahn, als sie, schon im Auto sitzend, sich von Böhnke verabschiedeten.

»Schaden kann es nicht, wenn du denen eine Anzeige ablieferst«, meinte Küpper.

»Aber nützen wird es wohl auch nicht viel«, nannte der Journalist ein Argument gegen seinen Vorschlag.

»Quatsch«, brummte der Bernhardiner, »das ist doch keine Mäusepolizei. Die werden sich schon darum kümmern müssen, wenn du sie offiziell einschaltest. Du darfst nur nicht glauben, dass die Kollegen wegen dir alles stehen und liegen lassen.«

»Die kommen garantiert, wenn ich abgeknallt bin«, schimpfte Bahn. »Dann haben die wenigstens einen handfesten Ermittlungsansatz.«

Viel hätten sie ja auch nicht, gab Böhnke zu bedenken. »Ein Brief, eine tote Katze, ein Pflasterstein mit Brief.«

»Und Schüsse auf mich auf dem Nürburgring!« Bahn hatte ihn ungehalten unterbrochen. »Ist das etwa nichts?«

»Das ist viel, Helmut. Aber es ist auch wenig, solange die Kollegen aus der Eifel keine tatsächlichen Hinweise auf die von dir vermuteten Schüsse gefunden haben. Du sagst es zwar, aber es gibt keine Beweise oder Anhaltspunkte.« Er solle ihm nicht böse sein, bat Küpper. »Ich habe mit einem Kollegen aus Mayen gesprochen. Sie sehen keinen Grund, wegen eines Attentats zu ermitteln, zumal in dem Wagen des Toten kein Projektil oder andere Hinweise zu finden gewesen waren.«

»Kein Wunder«, entgegnete Bahn frustriert, der zugleich staunte. Offensichtlich war die Kripo vor Ort doch nicht ganz untätig gewesen, wenn sie auch nicht das von ihm erhoffte Ergebnis vorweisen konnte. »Kein Wunder, bei dem Crash und dem Feuerball danach findest du nichts mehr.« Und dennoch! Auch wenn ihm niemand wirklich glaubte: Er war davon überzeugt, dass auf ihn während des Rennens geschossen worden war.

»Keine Sorge, junger Mann. Ihnen wird schon nichts passieren.« Böhnke hatte Bahns nachdenklich-trotzige Miene richtig gedeutet. »Wir werden die Nuss schon knacken«, betonte er mit Zuversicht. Es war eine gespielte Zuversicht.

Was er Bahn nicht sagte, war das Ergebnis eines Telefongesprächs, das er am Vorabend mit Küpper geführt hatte.

Sie waren beide zu der Einschätzung gekommen, dass der Journalist durchaus in Gefahr schwebte.

Küpper hatte ihm zugesichert, er würde dafür sorgen, dass die Polizei in Düren etwas intensiver auf Bahn schauen würde, als dies üblich gewesen wäre. Davon brauchte der junge Mann nichts zu wissen, hatten sie beschlossen. »Sonst dreht der noch mehr am Rad, wenn er mitkriegt, wie viel Sorgen wir uns um ihn machen«, hatte der Bernhardiner abschließend gesagt.

Böhnke war froh, als seine Besucher abgefahren waren. Er musste sich beeilen, um die Spuren zu beseitigen, die sie hinterlassen hatten. Aufräumen und Abwaschen waren angesagt und mussten erledigt sein, bevor Lieselotte am Abend kam. Sie mochte es überhaupt nicht, wenn es in ihrem Hühnerstall nicht sauber und ordentlich aussah und sie die Arbeiten erledigen musste, die sie nicht verursacht hatte.

»Hast du etwa keinen Besuch bekommen?«, fragte sie erstaunt bei ihrem Rundblick, nachdem sie eingetreten war. Ein größeres Kompliment für seine Reinigungsbemühungen hätte sie ihm gar nicht machen können. »Es sieht ja hier sauberer aus als wie bei meiner Abfahrt.«

Sie habe ihm übrigens etwas zu lesen mitgebracht, damit ihm die Zeit nicht zu lange werde oder für die gemütlichen Stunden am Abend vor dem Kachelofen.

»Die Rentner-Bravo.«

»Die was?«

»Na, die Apotheken-Umschau.«

10.

Der Alltag konnte ganz schön stressig sein, wie Böhnke merkte. Nachdem die Abwechslung durch Besuche oder Telefonate fehlte, machte ihm der tagtägliche Trott zu schaffen. Hausarbeit, Spaziergang, Mittagsschlaf, ein zweiter Spaziergang durchs Dorf, abends ein Buch bei klassischer Musik, sein Leben war schon zu ruhig und gesund, um tatsächlich gesund zu sein.

Gesund, das war auch das Stichwort, das sein Hausarzt bei einer der routinemäßigen Untersuchungen gebrauchte, für die Böhnke seinen Alltagstrott unterbrochen hatte und für die er nach Aachen gefahren war.

»Sie sehen so fit und munter aus, dass ich mir fast schon Sorgen um Sie mache«, hatte der Mediziner gemeint. Sie verloren kein Wort darüber, dass er gefährlich nahe über dem Abhang schwebte, in den er irgendwann einmal in kurzer oder späterer Zeit tödlich abstürzen würde.

»Dann will ich meinen gesunden Lebenswandel fortführen«, hatte Böhnke entgegnet, auch wenn er eintönig und ermüdend war. Die einzige Abwechslung hätte Bahns Geschichte bringen können, aber sie schien sich in Luft aufgelöst zu haben. Böhnke wurde weder von dem Journalisten noch von Küpper mit neuen Erkenntnissen versorgt, sodass er daraus folgerte, es gebe nichts Neues. Weitere Drohungen blieben offenkundig aus und wurden auch nicht umgesetzt. Wegen des tragischen Unfalls auf dem Nürburgring gab es keine neuen Anhaltspunkte; jedenfalls wurden keine genannt. Die Geschichte hatte damit ein, wenn auch für Bahn unbefriedigendes, Ende gefunden. Bahn hätte schon gerne gewusst, wer ihm die Fensterscheibe demoliert hatte, um sich von dem Steinewerfer die Reparaturkosten zurückzuholen.

Mit der Alltagsruhe war es am nächsten Mittag allerdings vorbei. Mit einem stürmischen Geläut an der Haustür wurde Böhnkes Schlummerstunde jäh unterbrochen. Da musste etwas passiert sein, wenn derart drängend die Klingel bearbeitet wurde, statt es bei einem einmaligen, sanften Druck auf den Knopf zu belassen.

Schneller, als es seinem Kreislauf guttat, sprang Böhnke von der Wohnzimmercouch auf und stolperte mit einem leichten Schwindel zum Hauseingang.

Küpper war der Störenfried, und sein Gesichtsausdruck verhieß nichts Gutes.

»Komm!«, sagte er bestimmend und ohne Begrüßung. »Wir müssen sofort nach Düren.«

Böhnke reagiert sofort, ohne zu zögern oder gar zu fragen. Er klaubte noch ein Jackett von der Garderobenstange und eilte Küpper hinterher. Der Bernhardiner saß schon wieder in seinem Wagen, der mit laufendem Motor in der Einfahrt stand.

»Wenn du die Güte hättest, mir zu sagen, was los ist, wäre ich dir sehr verbunden«, bemerkte Böhnke ausgesprochen höflich und gestelzt, während er sich anschnallte. »Und außerdem möchte ich dir dringend empfehlen, etwas langsamer zu fahren. Sonst kommen wir garantiert nicht in Düren an. Langsamer ist auf den Straßen der Eifel nicht nur meistens erheblich sicherer, sondern im Endeffekt auch schneller, mein Freund.« Der rasante Fahrstil von Küpper, der schon nach wenigen Metern am Ortsausgang in den vierten Gang geschaltet hatte, war ganz und gar nicht in seinem Sinne und würde spätestens in der übernächsten Kurve zu einem Aufenthalt im Seitengraben führen.

Der Kriminalrat drosselte die Geschwindigkeit. »Du hast recht. Es reicht, wenn einer im Krankenhaus liegt.«

Wer dieser eine war, lag für Böhnke auf der Hand. »Du meinst Bahn?«

Stumm nickte Küpper, als er sich auf die Landstraße in Richtung Simmerath einfädelte. Er schwieg auch noch, als sie an der beampelten Kreuzung nach rechts auf die Bundesstraße abbogen, über die belebte Hauptstraße durch den Ort fuhren und am Kreisverkehr in Richtung Düren abschwenkten.

Küpper atmete tief durch. Er hatte Böhnkes Geduld lange genug strapaziert. »Bahn liegt im Lendersdorfer Krankenhaus. Er kann froh sein, dass er überhaupt noch lebt.«

»Von vorne bitte«, unterbrach ihn Böhnke, der sich an den Haltegriff über der Seitentür klammerte, weil Küpper wieder unverhältnismäßig Geschwindigkeit aufnahm. »Was ist passiert?«

»Um es kurz zu machen: Bahn ist gestern am späten Abend brutal zusammengeschlagen worden. Vor seinem Haus ist er mit einem Gegenstand, vermutlich einem Baseballschläger, von hinten attackiert worden. Er kann von Glück reden, dass zufälligerweise ein Autofahrer auf der Straße vorbeikam und hupend den oder die Schläger verscheuchte. Er hat dafür gesorgt, dass Bahn mit dem Rettungswagen ins Krankenhaus gebracht wurde. Dort hat man ihn behandelt und hält ihn noch zur weiteren Beobachtung fest. Die Ärzte haben mir gesagt, ich könnte am Nachmittag mit ihm sprechen. Und ich habe mir gedacht, ich nehme dich mit. Dann braucht Bahn die Geschichte nicht zweimal zu erzählen.« Er grinste schwach vor sich hin. »Ist doch auch in deinem Sinne, wenn du mal wieder aus deinem langweiligen Dauerurlaubsort Huppenbroich herauskommst. Oder?«

Böhnke sah keinen Anlass zu einer Erwiderung. Was kümmerte hier schon Huppenbroich? Hier ging es um Bahn und um eine Attacke auf ihn. Hatte Bahn etwa doch recht, wenn er immer wieder sagte, man wolle ihn töten? Und wenn ja, wer war der Drahtzieher?

»Habt ihr euch denn inzwischen Gedanken gemacht, wer Bahn ans Zeug will?«, fragte er Küpper.

»Da gibt es viele und keine, wenn ich es so sagen darf. Zu viele kommen in Betracht. Einige, die möglicherweise Rachegelüste hegen, können sie nicht ausleben, weil sie noch im Knast sitzen.« Küpper drehte sich kurz zu Böhnke hin. »Um ehrlich zu sein, ich hatte gehofft, die Geschichte verläuft im Sande und wir können zu unseren Alltagsgeschäften zurückkehren. Aber da haben wir uns wohl geschnitten, würde ich sagen.«

Böhnke widersprach nicht. Er lehnte sich in den Sitz zurück und schaute in die beruhigende, harmonische Eifellandschaft, die an ihnen vorbeiflog. Er war froh gewesen, dass sein Fahrer nicht die kürzere, aber dafür kurvenreiche Berg- und Talfahrt durch das Kalltal gewählt hatte, sondern die etwas längere, dafür aber auch sicherere Strecke über Lammersdorf. Anderenfalls wären sie bei Küppers eingeschlagener Geschwindigkeit vielleicht nie an ihr Ziel gekommen.

Bahn sah ziemlich lädiert aus. Ein weißer Turban zierte seinen Kopf. Den rechten Arm trug er in einer Schlinge. Platzwunden, Prellungen und Blutergüsse hatte er bei dem Angriff davongetragen. Eine leichte Gehirnerschütterung fiel ebenfalls nicht schwer ins Gewicht. Er hatte Glück gehabt. Nichts war gebrochen, keine Organe waren beschädigt.

»Die behandeln mich hier, als sei ich todkrank«, schnaubte er nach der Begrüßung und biss sich verlegen auf die Lippe. Die Bemerkung war in Gegenwart von Böhnke wohl nicht gerade angemessen gewesen.

Der Journalist lungerte mit hochgeklapptem Rückenteil im Krankenbett seines Einzelzimmers und schaute auf den Fernseher, als Böhnke und Küpper eintraten. »Wenn ich euch sehe, kann ich nur sagen: Jetzt geht es mir gut. Was kann mir schon passieren, wenn sich zwei alte Kripomänner um mich bemühen?«

Wenigstens seinen berufstypischen Humor hatte Bahn nicht verloren, stellte Böhnke fest. Wahrscheinlich würde der Journalist selbst noch in seinem letzten Stündlein einen zynischen Spruch auf Lager haben.

Er habe Böhnke nicht aus den Eifelhöhen nach Lendersdorf gekarrt, damit Bahn Witze über sie reiße, knurrte Küpper, der kurzerhand zwei Stühle vom Tisch ans Bett gezogen und auf dem Weg durchs Zimmer auch den Fernsehapparat ausgeschaltet hatte. »Wir brauchen keine der schwachsinnigen Gerichts-Shows im Fernseher, wir wollen Realität. Also erzähl uns, was mit dir geschehen ist.«

Bahn musste bei seiner Schilderung notgedrungen vage bleiben. »Ich gehe auf mein Haus zu, bin noch auf dem Bürgersteig, da spüre ich einen harten Schlag auf den Hinterkopf. Danach Filmriss.« So schnell gehe das, und man sei von der Welt, wenn man Pech habe. Bahn verzog seinen Mund zu einem gequälten Grinsen. »Im Krankenhaus bin ich dann aufgewacht. Die Ärzte haben mir gesagt, dass ich zwei Schläge mit einem stumpfen Gegenstand abbekommen habe und einen Tritt in die Seite.« Er lüftete sein Unterhemd und zeigte auf eine blutunterlaufene, angeschwollene Stelle auf der rechten Seite seines Oberkörpers. »Ich habe verdammt viel Schwein gehabt. Der zweite Schlag hat wahrscheinlich nur deshalb meinen Kopf nicht getroffen, weil ich schon zusammengesackt bin. Deshalb ist er auf der linken Schulter gelandet. Und der Tritt, der ist knapp an der Leber vorbei und hat auch die Rippen verpasst. Die Jungs hier im Krankenhaus glauben, dass man mich so lange malträtiert hätte, bis ich abgenippelt wäre. Aber davor hat mich Gott sei Dank mein Nachbar bewahrt.«

»Was sagt die Polizei? Haben die was herausbekommen?«

Bahn verneinte. »Es gibt keine Hinweise auf irgendjemanden. Die hätten wahrscheinlich vermutet, ich sei im Dunkeln gestolpert und auf die Schnauze gefallen und hätte mich dabei selbst verletzt, wenn nicht mein Nachbar als Augenzeuge dabei gewesen wäre. Die Schnarchsäcke sind doch nur zu faul, sich um mich zu kümmern«, schimpfte er verächtlich. Bahn konnte es einfach nicht lassen, immer noch musste er eine bissige Bemerkung loswerden.

Böhnke hörte darüber hinweg. »Weiß die Polizei denn wenigstens, ob es einen oder mehrere Tatbeteiligte gibt?«, fragte er in der Vorahnung, keine tatsächlich aufhellende Antwort zu bekommen.

»Woher soll ich das wissen?«, antwortete Bahn. »Der Zeuge hat nichts gesehen. Spuren gibt es angeblich nicht, sehe ich einmal davon ab, dass ich einige Holzsplitter in der Schulter hatte. Ob da jemand allein unterwegs war oder ob er in Begleitung war, kann ich Ihnen beim besten

Willen nicht sagen. Ich bin, wie gesagt, nachts allein die Straße entlanggelaufen, als man mich aus heiterem Himmel heraus in die Hölle versetzte.« Bahn wandte sich Küpper zu. »Bitte kein Wort zu Gisela. Ich will nicht, dass sie ihren Urlaub abbricht. Ich bin längst wieder okay, wenn sie zurückkommt.«

Dann schnaubte er wieder verächtlich. »Das größte Arschloch aber ist Krupp. Der hat wohl mitbekommen, dass ich Prügel bezogen habe, und meinte nur, der Schlag gegen den Kopf könne nur förderlich sein. Erstens sei kein lebenswichtiges Organ geschädigt und zweites erhöhten leichte Schläge auf den Hinterkopf mein schwaches Denkvermögen. Dieser Volltrottel nennt sich dann auch noch mein Freund.« Er lehnte sich kurz ins Kissen zurück und schloss die Augen. Danach rückte er sich ächzend im Bett zurecht.

»Na, glaubt ihr jetzt endlich, dass es ein Anschlag auf mich war auf dem Nürburgring?«

Glauben helfe in diesem Fall nicht weiter, meinte Böhnke. »Es spricht allerdings einiges dafür, dass ein Unbekannter es auf Sie abgesehen hat.« Die Indizien dafür würden sich ja häufen: »Der vermeintliche Rennunfall, die beiden Drohbriefe vor- und nachher und jetzt die Schläge mit dem Baseballschläger, das sind Fakten, die lassen sich nicht wegdiskutieren.« Böhnke musterte Bahn streng.

»Es wird langsam Zeit, dass Sie ein paar mögliche Kandidaten aus Ihrem Journalistenleben heraustrennen. Das bringt uns eventuell weiter.«

Zum Denken sei er viel zu schlapp, stöhnte Bahn. »Außerdem können wir davon ausgehen, dass ich bald wieder einen Drohbrief bekomme, da es wieder nichts geworden ist mit meinem gewaltsamen Dahinscheiden. Wollen wir wetten?«

»Wir sind doch nicht bei Gottschalk«, meinte Küpper ungehalten. »Hier im Krankenhaus bist du jedenfalls erst einmal sicher aufgehoben. Meine Kollegen werden alles tun, damit die oder der Kerl geschnappt werden.«

Bahn blinzelte ihn skeptisch von der Seite an. Darauf würde er seinen Kopf garantiert nicht verwetten.

11.

Zu den dummen Sprüchen, die er überhaupt nicht mochte, gehörte die Frage: Zuerst die gute Nachricht oder zuerst die schlechte? War das Glas halb voll oder war es halb leer? Es kam immer auf den Standpunkt an, und so konnte eine gute Nachricht zugleich eine schlechte und eine schlechte Nachricht zugleich eine gute sein.

»Lass den Blödsinn«, knurrte er ins Telefon, »für solche Spielchen sind wir zu alt.«

»Spielverderber«, knurrte Küpper zurück, der Böhnke fast schon mit Absicht, wie dieser vermutete, aus dem Mittagsschlaf geholt hatte.

»Was gibt es, das du mir gestern verschwiegen hast? Oder wolltest du deinen Urlaub bei mir in Huppenbroich anmelden?«

Küpper überhörte die Fragen. »Es gibt eine neue Entwicklung, oder soll ich sogar sagen, eine neue Dimension im Falle Bahn.«

»So?«

»Ja. Gestern Nacht hat es einen Brandanschlag auf Bahns Haus gegeben. Ein Molotowcocktail oder etwas Ähnliches wurde durch das Küchenfenster geworfen.«

Sofort war Böhnke hellwach. Das war wirklich eine schlechte Nachricht. »Und? Wurde jemand verletzt?«

Küpper verneinte. »Das Haus stand ja leer. Gisela bräunt sich auf den Balearen und Bahn schlummert im Krankenhaus vor sich hin.«

Bahn habe wieder verdammtes Glück gehabt. Das

Feuer sei von seinem direkten Nachbar rechtzeitig entdeckt worden, der durch das Zersplittern der Fensterscheibe geweckt worden war. »Das war kurz vor Mitternacht. Er hat sofort die Feuerwehr alarmiert. Deshalb ist es nur zu einem relativ geringen Sachschaden ohne Verletzte gekommen.«

Das war also die schlechte Nachricht, dachte Böhnke, die zugleich eine gute war. Offenkundig hatte es wirklich jemand darauf abgesehen, den Journalisten fertigzumachen.

Was Böhnke nachdenklich stimmte, war der Umstand, dass der Brandstifter das Feuer legte, obwohl er wissen oder annehmen musste, dass Bahn sich im Krankenhaus befand. Oder? Vielleicht wollte der Gauner auch nur weiteren Psychodruck auf Bahn ausüben.

»Und was sagt Bahn dazu?« Böhnke war sich sicher, wie die Antwort ausfallen würde.

Küpper enttäuschte ihn nicht. »Bahn hat natürlich geflucht und dann allen Ernstes gefragt, wer ihm denn die Scheibe ersetzt, die er frisch hat einbauen lassen. Ansonsten steht der so unter Medikamenteneinfluss, der ist die Ruhe in Person und lässt sich davon nicht unterkriegen«, was Böhnke indes anzweifelte.

»Na ja«, räumte der Bernhardiner ein, »die Ärzte haben ihm heute Morgen eine Extraportion Beruhigungsmittel verpasst, bevor meine Kollegen ihn aufgeklärt haben.«

»Und wegen dieser Information unterbrichst du meinen Schönheitsschlaf?«

»Wenn es nur deswegen wäre, hätte ich selbstverständlich gewartet. Aber es kommt noch besser«, frohlockte Küpper. »Nicht nur die Feuerwehr war fix, die Jungs von der Polizei sind auch von der flotten Truppe. Die haben den

Brandstifter noch in der Boisdorfer Siedlung geschnappt. Der muss ziemlich dilettantisch vorgegangen sein. Der schleppte tatsächlich noch einen leeren, kleinen Benzinkanister mit sich herum.«

»Und?« Böhnke war gespannt. »Um wen handelt es sich dabei?«

»Ein junger Deutscher mit einem Migrationshintergrund, wie es so schön heißt«, antwortete Küpper.

»Und was hat der mit Bahn zu tun.«

»Wie ich bislang von meinen Kollegen erfahren habe, wollte er sich für einen Verwandten rächen, den wir vor ein paar Jahren haben auffliegen lassen. Du erinnerst dich vielleicht noch an den Bandenkrieg im Drogenmilieu. Damals hat Bahn nicht unwesentlich dazu beigetragen, dass wir den Drogensumpf in Düren für einige Zeit ziemlich trockenlegen konnten.«

Böhnke erinnerte sich nicht. Wie sollte er auch? Er hatte in Aachen im Dezernat für Tötungsdelikte gesessen und mit den Rauschgiftdelikten nur am Rande zu tun. Und wenn sich die Geschichte damals nur im Bereich Düren ereignet hatte, hatte er überhaupt keine Aktien im Spiel gehabt.

»Prima. Dann dürfte der Keks ja gegessen sein. Hat der Knabe schon gesungen?«

Der Brandstifter werde noch verhört, antwortete Küpper. »Ich bekomme heute Abend neue Informationen. Dann rufe ich dich sofort an. Versprochen!«

»Jederzeit«, sagte Böhnke. »Selbst wenn du mir wieder den Schlaf rauben solltest.«

Er rechnete nicht mehr mit dem Telefonat, als Küpper spätabends doch noch anrief.

»Ich bins, der Schlafräuber«, versuchte er locker zu sagen, konnte aber nicht verbergen, dass er nicht gerade froh und munter war.

»Mach schnell!«, raunte Böhnke. »Ich stehe schon im Schlafanzug vor meinem Bett und der Ofen ist aus. Mir wird kalt.«

»Gutes Stichwort«, entgegnete Küpper. »Ofen aus. In gewisser Weise ist der Ofen aus für den Brandstifter. Er ist geständig. Aber«, Küpper atmete tief durch, »nur teilweise. Er hat Bahn angeblich nicht töten, sondern ihm nur Angst einjagen wollen.«

Was soll ich davon halten, fragte sich Böhnke. Aber wahrscheinlich war es wie immer: Nur scheibchenweise würde ein Verbrecher seine Taten gestehen und immer nur so viel verraten, wie ihm ohnehin handfest bewiesen werden konnte. Das war in diesem Falle bestimmt nicht anders.

»Was hat er denn eingeräumt?«

»Unumwunden gibt er zu, den Brief mit dem Inhalt ›Fahr zur Hölle‹ an Bahn geschickt zu haben. Ebenso hat er zugegeben, dass das Paket mit der toten Katze auf seine Kappe geht. Und beim Brandanschlag besteht an seiner Täterschaft ja gar kein Zweifel.« Küpper legte eine Atempause ein. »Und dann sagt er in seiner Dreistigkeit allen Ernstes, er habe zuerst an der Haustür von Bahn geklingelt und abgewartet, ob jemand daheim sei, bevor er den Brandsatz geworfen hat. Das würde doch zeigen, dass er gar nicht die Absicht hatte, jemanden zu töten. Wenn jemand im Hause gewesen wäre, hätte er das Feuer nicht gelegt.«

»Behauptet er.«

»Behauptet er, um nicht wegen versuchten Mordes angeklagt zu werden.«

Böhnke kannte die Strategien der Kriminellen zu Genüge, um sich jetzt damit zu befassen. »Was sagt denn der Kerl zu den anderen Anschlägen und dem zweiten Brief?«

»Damit hätte er nichts zu tun, behauptet er.«

»Und du glaubst ihm aufs Wort?«

»Natürlich nicht«, antwortete Küpper. »Meine Kollegen arbeiten daran, ihn auch wegen dieser Dinge zu überführen, aber solange sie keine eindeutigen Beweise oder das Geständnis des Kerls haben, können sie ihn auch nicht damit belasten. Sie suchen nach Beweisen. Morgen weiß ich mehr.«

»Und morgen Abend wirst du mich über dein Mehrwissen informieren?«

»Selbstverständlich«, bestätigte Küpper. »Morgen Abend sind wir alle schlauer in diesem Scheißspiel.«

Er wollte das Gespräch beenden, als ihm noch etwas einfiel: »Lars Krupp hat sich heute bei der Pressestelle der Polizei gemeldet und sich als Kollege von Bahn ausgegeben. Er wollte wissen, was mit Bahn sei. Er habe gehört, dass ein Feuer gelegt worden sei. Hat wahrscheinlich seinen eigenen Informanten bei der Polizei.«

Merkwürdig, dachte sich Böhnke. Immer wieder tauchte der Name Lars Krupp auf. Ob er hinter dem Geschehen die Fäden zog? War er gar nicht der Freund, für den er sich ausgab? Böhnke dachte an Küppers letzten Satz: Morgen Abend sind wir alle schlauer in diesem Scheißspiel.

Hat er oder hat er nicht? Diese Frage stellte sich Böhnke bei seinem Spaziergang durch den Ort immer wieder. Er hatte sich den Modellflugplatz zum Ziel genommen. Vorbei am Löschteich und über die Verlängerung der Triftstraße lief er ortsauswärts und schon bald war er allein mit sich auf dem schmalen, leicht abschüssigen Weg zwischen den Kuhweiden.

Wahrscheinlich sprach mehr dafür, dass der Kerl alle Taten verübt hatte, als dagegen. Selbst wenn er unterstellte, dass der Tod auf dem Nürburgring die Folge eines Rennunfalls war, blieben immer noch der zweite Drohbrief und der hinterhältige Angriff von hinten mit dem Baseballschläger. Böhnke war gespannt, was sich diesbezüglich bei den Ermittlungen und den Verhören ergeben würde.

In seiner Manteltasche meldete sich vibrierend und zugleich den Radetzkymarsch spielend das Handy, aber nur, um ihm per SMS anzuzeigen, dass er einen Anruf verpasst hatte. Er war wohl mal wieder in einem Funkloch unterwegs gewesen, wie es so viele in und rund um Huppenbroich gab, just in dem Moment, als ihn jemand sprechen wollte. Der verhinderte Anrufer würde es bestimmt ein zweites Mal versuchen, wenn es dringend ist, sagte sich Böhnke.

Er stand vor dem verschlossenen Gelände und machte sich langsam auf den Rückweg. Erneut marschierte das Handy. Diesmal kam die Verbindung zustande.

Küppers Bemerkung, ob er es mit den Ohren hätte, überhörte Böhnke. »Bevor du gleich im nächsten Funkloch verschwindest, sage, was du sagen willst. Ich bleibe nämlich nicht mitten in der Prärie stehen, nur weil ein Kriminalrat mich bei meinem Spaziergang stört.« Die schnell aus Richtung Westen heranziehenden Wolken versprachen in Kürze ergiebige Regenfälle, die er lieber daheim als auf einem Weg miterleben wollte.

»Gut«, sagte Küpper knapp. »Ich rufe dich in einer halben Stunde zu Hause an. Aber setz dich hin.«

Auf Küppers Eingangsfrage hätte er blind wetten können: »Sitzt du gut?«

»Was ist denn jetzt schon wieder passiert?« Der Regen prasselte auf die Wiese und lief langsam auf die Terrasse. Böhnke war froh, rechtzeitig die Gartenmöbel unter das Vordach gestellt zu haben, als der Anruf punktgenau nach einer halben Stunde kam.

»Tja. Wir haben da wohl ein Problem.«

Ich nicht, dachte sich Böhnke. Ich habe ein einziges Problem und das reicht mir.

»Unser Freund, der Brandstifter, kann nicht derjenige sein, der den Pflasterstein geworfen hat«, fuhr der Kriminalrat fort. »Außerdem kann er nicht derjenige sein, der Bahn mit dem Schläger verprügelt hat. Er hat für beide Zeitpunkte absolut wasserdichte Alibis.«

»Gibts nicht«, entfuhr es Böhnke.

»Gibts doch«, widersprach Küpper. »Oder willst du etwa die Lauterkeit und das Protokollbuch der Dürener Polizei infrage stellen? Zu dem Zeitpunkt, als der Pflasterstein geworfen wurde, befand sich unser Freund in der Ausnüchterungszelle in der Polizeistation an der Aachener Straße. Ich kann mir nicht vorstellen, dass ihm die Jungs für ein oder zwei Stunden Ausgang gewährt haben.«

Das Ergebnis passte Böhnke überhaupt nicht.

»Sein Alibi für die Zeit des tätlichen Angriffs auf Bahn war ebenfalls nicht zu widerlegen«, musste Küpper eingestehen. »Da war der Junge noch in Köln. Er hatte dort randaliert und musste in der Wache am Neumarkt warten, bis eine Anzeige geschrieben war. Er hatte keine Papiere dabei und konnte sich nicht ausweisen. Er blieb bis Mitternacht auf der Wache. Mit der letzten S-Bahn fuhr er dann nach Düren zurück. Da lag Bahn aber schon demoliert auf dem Bett im Krankenhaus.«

Das sah nicht doll aus, meinte Böhnke nachdenklich. Er rutschte ungeduldig in seinem Sessel umher. Diese Entwicklung behagte ihm nicht. Sein Unbehagen wuchs noch an, als ihm Küpper erklärte, der Festgenommene hätte auch unmöglich beim 24-Stunden-Rennen am Nürburgring sein können. Wahrend des Nachmittags hatte er in einer Spielhalle gezockt, wie die Aufzeichnungen der Videokameras eindeutig belegten.

»Kann es nicht sein, dass er einen Komplizen hatte? Sie gewissermaßen gemeinsam geplant, aber getrennt zugeschlagen haben.«

»Darauf hoffe ich mal«, antwortete Küpper. Damit rechne er sogar. »Aber noch fehlen uns dafür die Beweise.«

»Und wenn es keinen Mittäter gibt, was dann?«

»Dann haben wir ein echtes Problem mit Bahn, mein Freund. Denn dann beginnt das Scheißspiel wieder von vorne.«

12.

Der Anpfiff des bitteren Spiels kam schneller als erwartet. Die Polizei hatte nach den Ermittlungen keine Zweifel, den Kleinkriminellen als Alleintäter anzunehmen. Nicht nur seine vehemente Beteuerung ließ sie zu diesem Schluss kommen, auch die Untersuchungen ergaben keinen Anlass, nach einem möglichen Mittäter zu fahnden. Die Freunde und Verwandten des kleinen Ganoven saßen entweder selbst hinter Gittern oder hatten wasserdichte Alibis. Kontakte zu anderen Kriminellen oder Hintermännern waren auszuschließen.

»Es gibt mit an Sicherheit grenzender Wahrscheinlichkeit niemanden, mit dem Ihr kleiner Freund zusammengearbeitet hat«, sagte Böhnke zu Bahn, mit dem er sich in einem Café in Simmerath getroffen hatte. »Wie es aussieht, können wir ihm den ersten Brief, die Katze und den Brandanschlag anlasten.«

»Und das Arschloch, das mich zusammengeschlagen hat, läuft immer noch unbehelligt durch die Gegend!«, brauste Bahn auf. Es war unverkennbar, dass er langsam, aber sicher Angst bekam. »Erst versucht mich jemand abzuknallen, dann haut mir der Schwachkopf einen Baseballschläger über die Rübe. Und was geschieht als Nächstes? Da muss doch endlich was passieren!«

Was sollte passieren? Bahn wurde bereits, soweit es der Polizei möglich war und es stillschweigend, unter Umgehung des Dienstweges machbar erschien, überwacht;

auch wenn er es nicht wusste und er es Küppers Intervention verdankte.

»Sie könnten sich ja vielleicht abseilen und Ihrer Frau in den Urlaub hinterherfliegen«, schlug Böhnke vor. »In ein paar Wochen ist Gras über die Sache gewachsen.«

»Glauben Sie etwa allen Ernstes, was Sie da von sich geben?« Bahn blinzelte skeptisch.

Böhnke schwieg. Nein, das glaube ich nicht, hätte er ehrlicherweise sagen müssen.

»Wie soll es denn weitergehen?« Er wechselte lieber kurzerhand das Thema, statt eine Antwort geben zu müssen.

»Keine Ahnung«, meinte Bahn mit resignierendem Blick. »Ich werde mir eine Knarre besorgen und auf alle schießen, die sich mir auf weniger als einen Meter nähern.« Er zitterte, als er die Kuchengabel mit dem kleinen Stück des gedeckten Apfelkuchens zum Mund führte. »Im Ernst, was raten Sie mir?«

Böhnke lehnte sich in seinen Stuhl zurück und gähnte. »Viel raten kann ich Ihnen leider nicht. Passen Sie auf sich auf und versuchen Sie, den vermeintlichen zweiten Attentäter ausfindig zu machen.«

»Und Sie helfen mir bei der Suche?«

Böhnke hatte befürchtet, dass der Journalist ihn nach seiner Unterstützung noch mehr in seine verzwickte Situation einspannen wollte. Hätte er sich doch besser etwas bei seinem Ratschlag zurückgehalten, schimpfte er mit sich. Aber jetzt konnte er wohl nicht mehr zurück.

»Soweit es in meinen Kräften steht, werde ich Sie selbstverständlich unterstützen. Herr Bahn. Das ist doch Ehrensache.«

Er war froh, allein nach Huppenbroich zurückgehen zu können. Bahns Angebot, ihn im Wagen zum Hühnerstall zu bringen, hatte er dankend abgelehnt. Er musste nachdenken, und das konnte er immer noch am besten, wenn ihn niemand und nichts störte oder ablenkte. Am Forsthaus vorbei schritt er die einsame Straße bergab ins Tiefenbachtal.

Jugendliche auf Fahrrädern sausten an ihm vorbei. Sie wollten wohl, so vermutete er, zum Jugendzeltplatz Mariagrube der Pfadfinderschaft St. Georg unten im Tal. Sie wollten bestimmt feiern, Spaß haben. Er aber? Er stolperte schwerkrank auf einer Straße einen Berg hinunter und machte sich das Leben noch schwerer und mühseliger, als es schon für ihn war.

Warum nur ließ er sich auf die Geschichte mit Bahn ein? Warum nicht?, stellte er sich selbst die Gegenfrage. Es würde nicht schaden, ein wenig Abwechslung zu haben, obwohl er nicht unbedingt über Langeweile klagen konnte. Am Haus, an den Hochbeeten und am Rasen gab es eigentlich genug zu tun. Aber das waren Arbeiten, die er lieber auf die lange Bank schob, bis ein anderer sie erledigte.

Bahn hatte ihn bisher beschäftigt. Also sollte er ihn noch weiter beschäftigen. Erneut dachte er darüber nach, ob es tatsächlich bei dem Autorennen einen Anschlag gegeben hatte oder nicht. Und wenn er einen Anschlag unterstellte, blieb noch die Frage, ob der tatsächlich Bahn gegolten hatte, wie der Journalist glauben wollte. Sprach nicht auch weniger dafür, dass das bedauernswerte Todesopfer oder Wilfried alias Siggi das eigentliche Ziel des Anschlags waren? Und konnte er denn sicher sein, dass dieser mögliche Anschlag auf dem Nürburgring tatsächlich von dem Täter verursacht wurde, der Bahn zusammengeschlagen hatte? Vielleicht nutzte auch nur jemand die entstandene Situation aus. Eventuell als Trittbrettfahrer, der über das

Internet mitbekommen hatte, dass Bahn im Wagen 472 gesessen hatte, und der nun sein eigenes Spiel trieb.

Keine Erklärung hatte Böhnke dafür, dass sich ihm immer wieder der Name Krupp aufdrängte. Mischte der nette sympathische Journalist aus dem Kreis Heinsberg etwa seine eigenen Karten?

Das Handy vibrierte in seiner Hosentasche. Aber es kam nicht dazu, den Radetzkymarsch anzustimmen. Als Böhnke es endlich ans Tageslicht gezerrt hatte, befand er sich bereits in einem Funkloch unten im Tal. Ich muss mir angewöhnen, stehen zu bleiben, wenn das Ding sich meldet, statt weiterzugehen, sagte er sich zum x-ten Mal, weil ihm das Missgeschick bei seinen Spaziergängen rund um Huppenbroich schon mehrmals passiert war. Andererseits, so witzelte er bei sich, handelte es sich ja um ein Mobiltelefon, dann sollte es auch mobil sein.

Er versuchte wieder, sich auf Bahns Dilemma zu konzentrieren. Er würde die für ihn einfachste Variante wählen, schlug sich Böhnke selbst laut vor: »Ich gehe davon aus, dass es auf dem Nürburgring einen Attentäter gegeben hat, der jetzt versucht, Bahn auszuschalten. Wer immer das auch sein sollte. Sollte sich der Fall anders entwickeln, egal, in welche Richtung, kann ich immer noch auf eine andere Theorie umschwenken.«

Verwundert schaute Böhnke sich um. Er befand sich bereits vor dem Hühnerstall. Bei seiner konzentrierten Denkarbeit hatte er den Weg hinauf zur Kapellenstraße mechanisch zurückgelegt und war, wie er zugleich erfreut feststellte, nicht einmal erschöpft.

Sollte ich öfters machen, schlug er sich vor, einfach denken, dann geht das Laufen ohne Schnaufen.

Wieder machte sich das mobile Telefon bemerkbar, just

in dem Moment, in dem Böhnke die Haustür aufschloss. Das Display zeigte weder einen Namen noch eine Nummer an, sondern meldete einen unbekannten Anrufer.

Der hat die Rufnummer unterdrückt, registrierte Böhnke, der sich zunächst langsam und skeptisch, inzwischen aber immer mehr mit der neuen Kommunikationstechnik angefreundet und die ersten Tricks gelernt hatte. Ihn würde keiner mehr überraschen können, nur weil er zu dumm gewesen war, seine Handynummer nicht geblockt zu haben. Er hielt sich an eine seiner Handyregeln: Warum sollte er sich mit dem Namen melden, wenn der Anrufer selbst seinen eigenen Namen und seine Rufnummer zurückhielt?

»Hallo«, sagte er mit ruhiger Stimme ins Gerät.

»Ich bins«, erhielt er als Antwort. Die Stimme hörte sich brüchig und leise an.

»Ist mir klar. Aber wer ist ich?« Böhnke ärgerte sich längst nicht mehr über die oft ungeschickten Meldungen per Handy.

»Ich bins, Helmut Bahn«, flüsterte der Anrufer schnell. »Und ich hoffe, dass Sie Herr Böhnke sind.«

»Gewiss. Was gibt es?« Böhnke hatte aufgehorcht. Etwas stimmte nicht mit Bahn. Dynamisch und forsch hatte seine Stimme sonst geklungen. Jetzt war sie ängstlich, zaghaft, stotternd. Zugleich hörte sie sich hektisch und aufgeregt an.

»Hatten Sie etwa auf der Rückfahrt einen Unfall?«, fragte er besorgt.

»Nein, nein«, wollte Bahn beruhigen, sein Benehmen sollte jedenfalls so wirken, war aber nur ein schnell und gehetzt hingeworfener Satz. »Man lässt mich nicht in Ruhe. Ich habe eben im Briefkasten wieder einen Liebesbrief der besonderen Art gefunden. Ich lese Ihnen gerne vor, was darin steht.«

Böhnkes betretenes Schweigen verstand er als Aufforderung.

»Das nächste Mal verlässt du das Krankenhaus nicht lebendig.« Bahn hustete. »Ist doch wohl eindeutig. Oder?«

»Da kann ich nicht widersprechen«, bestätigte Böhnke nachdenklich. »Was haben Sie jetzt vor?«

»Ich werde meinen Freunden bei der Polizei einen Besuch abstatten. Die sollen mich gefälligst schützen.«

»Und ich soll Sie unterstützen?«

»Ja, das haben Sie mir zugesagt, Herr Böhnke«, sagte der Journalist fast schon flehentlich.

Was bedeutete der dritte Drohbrief?

Im Prinzip nur, dass derjenige, der diesen Brief verfasst hatte, wusste, dass Bahn nach einer Attacke im Krankenhaus gewesen ist, dachte sich Böhnke, andere Möglichkeiten zur Seite schiebend. Für ihn stand das fest und so würde sein Ansatz sein. Es gab einen Unbekannten, der es auf Bahn abgesehen hatte. Ob aber dieser Unbekannte auch auf dem Nürburgring zugeschlagen hatte, das war eine andere Frage. Es sprach zwar etliches dafür, aber es war nicht zwingend so, sagte er sich.

Warum er in diesem Zusammenhang wieder an Krupp dachte, konnte er sich selbst nicht erklären.

13.

Bahns Angebot, ihn nach Hildesheim mitzunehmen, jedenfalls hatte er Hildesheim verstanden, kam Böhnke äußerst ungelegen.

Er fühle sich nicht gut, meinte er abweisend. Es war eine Schutzbehauptung, er hatte vielmehr im Garten zu tun. Er hatte Lieselotte versprochen, sich endlich um die Hochbeete zu kümmern, in denen das Unkraut langsam die Oberhand gewann und nicht mehr Luft und Licht für die Nutzpflanzen blieb. Beete jäten statt Hildesheim, unter anderen Umständen hätte er zugesagt, aber er hatte in der letzten Zeit schon zu viel geschludert und wollte nicht den Zorn seiner Göttin auf sich ziehen. Außerdem war ihm der Gedanke an eine lange Autofahrt unbehaglicher als die Gartenarbeit, die er eigentlich gar nicht mochte und die er jederzeit abbrechen konnte. Sie war im Prinzip nicht seine Angelegenheit, aber er hatte immer Zeit. Und so blieb die Pflege der Hochbeete mal wieder an ihm hängen. Immer noch besser als Hildesheim, dachte er sich.

Dennoch konnte er seine Neugierde nicht verhehlen: »Was wollen Sie denn in Hildesheim, Herr Bahn?«

»Hillesheim«, stöhnte der Journalist ins Telefon. »Ich fahre nicht nach Niedersachsen, sondern in das schöne Hillesheim in der wunderschönen Vulkaneifel. Waren Sie da etwa noch nie, Herr Böhnke?«

»Nein«, bekannte der genötigte Gartenfreund. »Nie davon gehört. Das ist bestimmt kein Nest mit großer Kriminalität, sonst hätte ich davon gewusst.«

»Kriminalität im eigentlichen Sinne gewiss nicht«, lachte Bahn. »Aber da gibt es das erste und, wie ich glaube, auch das einzige Krimicafé Deutschlands.«

Bei Café und Eifel wäre Böhnke spontan etwas anderes eingefallen: Bad Münstereifel und Heino. Dorthin in das Café des Sangesfreundes hatte ihn seine Apothekerin einmal geschleppt. Nein, zweimal, korrigierte er sich, das erste und das letzte Mal. Das lag aber weniger am Café selbst oder an seinem berühmten Besitzer, sondern am Rummel und dem Betrieb, der im und um das Café herrschte. Aber ein Krimicafé! Auf welche Ideen die Menschen bloß kamen, wunderte er sich.

»Was wollen Sie ausgerechnet in einem Krimicafé in Hillesheim in der Vulkaneifel?«, fragte er.

»Einen Kriminalfall klären beziehungsweise einer Lösung näherkommen«, antwortete Bahn. »Ich treffe mich dort mit meinem Freund Siggi aus der Schnee-Eifel. Sie wissen, der Typ vom Nürburgring.«

Böhnke nickte, obwohl ihn am Telefon niemand sehen konnte. An Siggi, der eigentlich Wilfried hieß, aber aus unerklärlichen Gründen von aller Welt Siggi genannt wurde, erinnerte er sich, auch wenn er von ihm nicht viel mehr gesehen hatte als von jedem beliebigen Autorennfahrer, der in voller Rennmontur und mit aufgesetztem Helm an ihm vorbeigelaufen war.

Bahn fuhr fort, ehe Böhnke eine weitere Frage stellen konnte. »Er hat mich um das Gespräch gebeten, weil er einige Neuigkeiten hat, die mich interessieren könnten.«

»Geht es auch konkreter?« Böhnke mochte die Allgemeinplätze nicht sonderlich. Er wollte brauchbare Fakten.

»Mehr hat mir Siggi nicht gesagt. Er hat nur gemeint,

ich solle Sie mitbringen, dann bräuchte er die Geschichte nur einmal erzählen.«

Böhnke stutzte. »Wie kommt er auf mich?«

»Ich habe ihm gesagt, dass Sie für mich tätig sind«, bekannte Bahn. »Ich habe Sie als den besten Kripomann nördlich der Eifel bezeichnet.«

»Na, dann fahren Sie mal ohne den Spitzenmann in das schöne Hillesheim in der wunderschönen Vulkaneifel. Sie werden mir anschließend bestimmt brühwarm und ausführlich berichten, was Ihr Freund Siggi Ihnen berichtet hat.«

Böhnke hatte abends lange auf Bahn gewartet. Doch schlug das Handy ebenso wenig an wie das Festnetztelefon. Muss ich mir Sorgen machen, dachte er sich, verdrängte aber den trüben Gedanken. Wenn Bahn zwischenzeitlich etwas passiert sein sollte, hätte man ihn bestimmt benachrichtigt. Er war nach seiner Arbeit an den Hochbeeten rechtschaffen müde, hatte bereits den Fernseher ausgeschaltet, den Kontrollanruf in Aachen getätigt und das Licht im Wohnbereich ausgeschaltet, als es an der Haustür klingelte.

Der breit grinsende Bahn stand im Rahmen, vor dem Gesicht einen braunen Briefumschlag haltend. »Ich bin zwar nicht die Christel von der Post, aber ich bringe Ihnen die Unterlagen höchstpersönlich.« Er überreichte Böhnke den Umschlag.

»Ist von Siggi. Er hat Ihnen aufgeschrieben, was er mir gesagt hat.«

»Warum?«, fragte Böhnke erstaunt, während er den verklebten Umschlag langsam in den Händen drehte. »Muss ich das jetzt verstehen?«

Er bat Bahn ins Haus, der ihn fröhlich aufklärte: »Ich habe Siggi vor meiner Abfahrt Bescheid gesagt, dass Sie nicht mitkommen könnten, weil Sie unpässlich seien. Daraufhin hat er diesen Brief geschrieben und mich gebeten, ihn Ihnen zu geben. Pah«, schnaubte er. »Ich würde bestimmt das Wichtigste vergessen oder unterschlagen, wenn ich Ihnen von unserem Gespräch berichte. Er wollte, dass Sie alle Fakten bekommen. Als ob ich sie Ihnen vorenthalten würde!« Er regte sich künstlich auf und beruhigte sich schnell wieder. »Er hat es ja nur gut gemeint.«

»Was ist denn das Ergebnis Ihres Gesprächs mit ihm?«

Bahn kratzte sich am Kopf. »Eigentlich gibt es mehrere Erkenntnisse, aber das Wichtigste ist wohl, dass Sie oder wir uns bestimmt in Spa umsehen müssen.«

»Warum?«

Bahn winkte ab. »Lesen Sie erst«, schlug er vor. Er trat den Rückzug an. »Es ist schon spät, ich muss nach Hause. Ach, ja«, er drehte sich auf dem Weg noch einmal um. »Stellen Sie bitte den Blecheimer mit den Wildkräutern da vorne an der Straße weg, sonst könnte man den Eindruck gewinnen, sie hätten heute Gartenarbeit betrieben. Ich wäre beinahe darüber gestolpert.«

Böhnke nahm Siggis Brief als Bettlektüre mit ins Schlafzimmer. Nach dem Lesen des Textes leistete er Bahn Abbitte und zollte Siggi Respekt. Der Journalist aus der Schnee-Eifel schien einiges auf dem Kasten zu haben, schätzte Böhnke. Er las den in einer säuberlichen Handschrift geschriebenen Text ein zweites und ein drittes Mal.

›Sehr geehrter Herr Böhnke!‹, hatte Siggi geschrieben, der seinen Brief auch mit Siggi unterzeichnet hatte.

›Ich schreibe Ihnen diesen Brief, um sicher zu gehen,

dass Ihnen mein Kollege Bahn nicht unabsichtlich einige Informationen vorenthält, von denen ich annehme, dass Sie diese kennen sollten, weil sie uns allen nützlich sein könnten. Ich schicke voraus, dass es tatsächlich auf dem Nürburgring während des Rennens einen Anschlag gegeben hat. Davon ist inzwischen auch die örtliche Polizei in Mayen überzeugt, nachdem sie den Wagen von Theberath restlos auseinandergenommen hat und sie Löcher in der Karosserie fand, die von Geschossen herrühren könnten. Ich schreibe bewusst von Schüssen, später werden Sie noch lesen, weshalb. Allerdings reichen die vorliegenden Ermittlungsergebnisse nach Ansicht der Dienststelle noch nicht aus, um an die Öffentlichkeit zu treten. Man ermittelt lieber noch im Stillen, was zwei Dinge möglich macht: Zum einen werden mögliche Täter in dem trügerischen Glauben gehalten, es werde nicht ermittelt, zum anderen kann die Polizei jederzeit ihre Ermittlungsarbeit einstellen, ohne sich vor der Öffentlichkeit erklären zu müssen. Von einem Anschlag ausgehend, habe ich, selbstverständlich zuerst an mich denkend, überlegt, ob ich das Ziel des Anschlags war. Denn nach der ursprünglichen Rennplanung hätte ich zu diesem Zeitpunkt im Wagen gesessen. Also schloss ich zunächst nicht aus, dass ich getroffen und geschädigt werden sollte. Ich habe in meinem Umfeld recherchiert und einige Typen zur Rede gestellt, die ich in Artikeln an den Pranger gestellt habe. Aber ich habe keinerlei Anhaltspunkte dafür finden können, dass ich abgeschossen werden sollte. Gewissermaßen passe ich in kein Beuteschema. Wie die Sache mit Bahn oder unserem dritten Mann, Lars Krupp, aussieht, kann ich natürlich nicht bewerten. Aber ich glaube, dass Krupp völlig aus der Schusslinie ist. Und bei Bahn habe ich Zweifel, dass der Anschlag ihm gelten sollte. Ich vermute vielmehr, dass der Anschlag gar nicht unserem Fahrzeug galt, sondern dem Wagen des Theberath-Teams. Bahn hatte nur das Pech, dass er just in dem Moment an dieser Stelle von Theberath überholt wurde, an der der Schütze auf Theberath wartete. In diesem Zusammenhang dürfte es Sie bestimmt interessieren, dass es schon vor ein paar Wochen beim 1.000-Kilometer-Rennen in Spa-Francorchamps einen Anschlag auf den Wagen des Theberath-Teams gegeben haben soll. Damals hat wohl Anton Theberath am Steuer gesessen. Wie ich aus Polizeikreisen erfahren habe, sei der Zwischenfall aber weder ermittelt noch protokolliert worden. Für die Schüsse spricht aber der Umstand, dass in dem Wrack mehrere Einschusslöcher gefunden wurden, wie ich oben bereits anmerkte. Ich hoffe, ich habe Ihnen ein wenig erklären können, dass wahrscheinlich weder Bahn noch ich gemeint waren. Bevor Sie jetzt fragen, wie unter diesen Begebenheiten und Erkenntnissen die Drohbriefe und die Attacke auf Bahn zu bewerten sind, sage ich Ihnen, was ich meine: Die Sache in Düren hat mit der auf dem Nürburgring überhaupt nichts zu tun. Ich lasse mich aber gerne eines Besseren belehren, wenn Sie überzeugende Argumente gegen meine Annahme haben. Und noch etwas, bevor Sie eine weitere Frage stellen: Ich selbst werde mich nicht weiter um diese Geschichte kümmern, da ich davon ausgehen kann, von meinen Informanten in Mayen informiert zu werden, wenn es handfeste Ergebnisse gibt. Die Sache mit Bahn in Düren ist nicht meine Baustelle. Was in der Nordeifel und darüber hinaus geschieht, ist für mich beruflich nicht sonderlich interessant. Und damit habe ich auch schon ein drittes Argument angedeutet, weswegen ich mich ausklinke: Ich bin an einer verdammt heißen Dopinggeschichte bei der

Fernmeldeausbildungskompanie in Gerolstein dran, da möchte ich meine Zeit nicht mit anderen Dingen vergeuden. In der Hoffnung, Sie nicht noch mehr verwirrt, sondern Ihnen im Gegenteil neue, wegweisende Erkenntnisse geliefert zu haben, verbleibe ich mit freundlichen Grüßen.‹

Nachdenklich legte Böhnke das gut leserliche Schreiben auf die Konsole und löschte das Licht. Was nun, fragte er sich mit geschlossenen Augen. Was war der Knackpunkt?

Er zweifelte nicht an Siggis Erkenntnissen, auch wenn er sicherlich nachhaken würde, wenn sich die Gelegenheit dazu bot. Jetzt hatte er im Prinzip zwei neue Ansätze beziehungsweise neue Wege, die vielleicht in unterschiedliche Richtungen führten, vielleicht nebeneinanderher liefen oder die sich vielleicht ja, wenn auch nach seinem derzeitigen Wissensstand wenig wahrscheinlich, wieder zu einem Weg vereinigten.

Da war zum einen das angebliche Attentat während des Autorennens mit der Vorgeschichte in Belgien und da war der Terror gegen Bahn in Düren, der nicht damit geendet hatte, dass ein Kleinkrimineller festgenommen worden war.

14.

Sollte er warten auf das, was geschehen würde? Sollte er seine bescheidenen Ermittlungen einstellen?

Weder noch, sagte sich Böhnke während seines Spaziergangs, der dieses Mal über den Huppenbroicher Friedhof führte, auf dem er wohl auch begraben werden würde. Ich zäume das Pferd einmal von hinten auf, beschloss er für sich. Ausschlussverfahren kam ihm als Methode in den Sinn; alles ausschließen, das für oder gegen eine Attacke auf Bahn auf dem Nürburgring sprach, beispielsweise, weil es sich um einen Anschlag auf Theberath gehandelt haben sollte. Wie er allerdings die Kurve zu den mysteriösen Ereignissen in Düren bekommen sollte, darüber machte er sich noch keine Gedanken. Einen Schritt nach dem anderen, redete er sich ein.

Seine Frau staunte nicht schlecht, als er sie nach dem gemeinsamen Wochenende im Hühnerstall am Montag nach Aachen begleitete.

»Willst du etwa wieder meinen Internetanschluss blockieren?«, hatte sie skeptisch gefragt.

Er hatte schnell verneint. »Ich will bloß nach Vaalserquartier.«

»Aha«, hatte sie verständnislos kommentiert. »Du hast mitbekommen, dass es keine Straßenbahnverbindung dorthin mehr gibt?«, lästerte sie. »Ich vermute, du willst dir mein Auto ausleihen.«

»Richtig«, bestätigte Böhnke.

»Und was treibt dich ausgerechnet an die holländische Grenze?«

»Theberath«, antwortete Böhnke knapp. Er schaute demonstrativ aus dem Seitenfenster. Für ihn war das Gespräch damit beendet.

Nachdem er an der Apotheke das Fahrzeug übernommen hatte, machte er sich auf der langen Vaalser Straße auf den Weg aus der Stadt vorbei am Westfriedhof in Richtung Grenze. Sollte er vor oder nach dem Sportplatz links nach Vaalserquartier abbiegen, um zur Eburonenstraße zu gelangen? Dort betrieben die Brüder Berthold und Anton Theberath ihre Kfz-Werkstatt, wie Böhnke dem Telefonbuch entnommen hatte. Ziemlich entlegen kam ihm dieser Betrieb in einem alten Gebäude vor, vor dem auf einer asphaltierten Fläche einige Fahrzeuge abgestellt waren. Fernab von der Durchgangsstraße war die Werkstatt für einen Autofahrer, der einen Reparaturbetrieb suchte, nicht leicht zu finden. Aber offensichtlich legten die Brüder gar keinen großen Wert auf diese Kundschaft. Sie waren mit dem Auto-Tuning und dem Bearbeiten von Rennwagen ausgelastet, erinnerte sich Böhnke, ohne konkret zu wissen, was genau damit gemeint war. Er konnte auch niemanden fragen, worin genau die Arbeit dieser Kfz-Werkstatt bestand. Denn ein handgeschriebenes Schild an der verschlossenen Eingangstür zum Büro gab die plausible Erklärung für die Menschenleere auf dem Gelände: »Wegen Betriebsferien geschlossen«.

Langsam ließ Böhnke seinen Blick schweifen. Ungeniert lief er zwischen den Wagen herum, beobachtet von einer demonstrativ für jeden erkennbar angebrachten Kontrollkamera am Gebäude, die ihn aber nicht störte. Er bezweifelte, ob sie überhaupt in Betrieb war. Falls ihn jemand ansprechen sollte, hätte er immer noch sagen können, er wäre wegen einer Reparatur vorbeigekommen. In dieser Werkstatt, so sein Eindruck, würde er jederzeit sein Auto warten lassen. Die abgestellten Fahrzeuge waren gewaschen und poliert, das Betriebsgelände frei von Abfall und aufgeräumt. Hier herrschten die Ordnung und Sauberkeit, die erforderlich waren, um effektiv arbeiten zu können.

Er entdeckte ein zweites, kleineres Schild an der Bürotür. Es enthielt den Hinweis, dass außerhalb der Geschäftszeiten in dringenden Fällen im Haus gegenüber auf der anderen Straßenseite geklingelt werden könnte.

Aber auch dieses Haus machte auf Böhnke einen nicht belebten Eindruck. Wahrscheinlich war das aus rotem Backstein gemauerte Gebäude das Wohnhaus der Theberaths und stand leer, weil seine Bewohner tot oder in Urlaub waren.

Böhnke sah es als nicht ergiebig an, die Klingel zu drücken, die sich unter dem Namensschild neben dem Eingang befand. Er wusste, dass jedes Klingeln überflüssig war.

Auf der Rückfahrt kamen der Hunger und zugleich die Idee, für die er sich selbst beglückwünschte. Wenn er schon einmal auf der Vaalser Straße war, was sprach eigentlich dagegen, in der Imbissstube, die fast schon ein ausgewachsenes Restaurant war, den weithin bekannten und beliebten Sauerbraten mit Pommes zu essen? Große Portionen, kleiner Preis, so hatte es in dem Betrieb immer geheißen. Und so hieß es fast immer noch, wie er feststellte, als er das Lokal betrat. Er hatte Mühe, einen Platz zu finden, und ließ sich schließlich an einem einfachen Tisch nieder, an dem schon ein älteres Pärchen und ein junger, langhaariger Mann, wahrscheinlich ein Student, saßen.

Kaum hatte Böhnke Platz genommen, da fragte ihn der Senior schon, ob er das erste Mal in diesem Restaurant sei, er und seine Frau hätten ihn noch nie hier gesehen. Ohne auf eine Antwort zu warten, wandte er sich dem Studenten zu, dem eine Serviererin gerade das Essen servierte, selbstverständlich Sauerbraten mit Pommes frites.

»Lass es dich schmaake, Jung«, sagte der Alte. »Dat Zeuch ist juut. Das schmaat.«

Böhnke orderte ebenfalls die Spezialität des Hauses.

»Echt Päed«, kommentierte der redselige Tischnachbar, »auch wenn et nit von der Tschio is.«

Allein der Gedanke, der Sauerbraten aus Pferdefleisch könne im Zusammenhang stehen mit dem Reitturnier in der Soers, war despektierlich, empfand Böhnke, aber er hielt sich mit seiner Einschätzung zurück.

»Wat maatse hier?«, fragte ihn der Senior unbekümmert.

Er wolle essen, antwortete Böhnke einsilbig, um sich dann doch zu einer längeren Antwort zu bequemen. Der Alte würde ohnehin in seiner Respektlosigkeit keine Ruhe geben. Fast schon bereute er seine Idee, überhaupt hierhin gegangen zu sein.

»Ich hatte in Vaalserquartier zu tun und wollte auf dem Rückweg in die Eifel gerne die Gelegenheit wahrnehmen, endlich einmal wieder den legendären Sauerbraten essen zu können.« Böhnke gab sich sehr reserviert und förmlich, blieb mit seiner abweisenden Haltung allerdings erfolglos.

»Und wat häste in Vaalserquartier jemaakt?« Ziemlich dreist hakte der Senior nach, kopfnickend unterstützt von seiner längst nicht mehr taufrischen Begleiterin.

Das ginge ihn ja wohl gar nichts an, hätte Böhnke am

liebsten gesagt. Er bemerkte das Grinsen des Studenten, der sich offenbar über die Unterhaltung amüsierte.

»Ich wollte in eine Autowerkstatt«, antwortete Böhnke langsam, in der Hoffnung, damit genug gesagt zu haben, und sehnlich darauf wartend, dass ihn endlich das Essen von dem Gespräch erlöste. »Ölwechsel.«

»Bei Theberaths. Die sind doch nicht da. Dat hätte ich Ihnen sagen könne«, sagte der Mann, nunmehr bemüht, vom fast schon gesungenen Öcher Platt ins Hochdeutsche zu wechseln.

Böhnke wusste nicht, ob er über diese Erwiderung staunen oder lachen sollte. Er ging in die Offensive. »Kennen Sie Theberaths?«

»Ja sicher doch.« Der Alte und mit ihm seine Frau nickten heftig. »Dat sind doch unsere Nachbarn. Echte patente Jungs. Aber der eine, der Bert, der ist jetzt tot. Schlimm, wa!«

Böhnke sah ihn nachdenklich an und freute sich über das dampfende Essen, das ihm endlich aufgetischt wurde. »Was ist denn passiert?«, fragte er, nach der kurzen Unterbrechung den Unwissenden mimend, und machte sich über das zarte, in dunkelroter Soße gelegte Fleisch her. Es schmeckte einfach köstlich.

»Der Bert ist auf dem Nürburgring vor zwei, drei Wochen verunglückt«, hörte er den Senior. »Schlimme Geschichte. Jetzt ist der Tünn ganz allein.«

»Und die Lissi«, mischte sich die Alte ein. »Sie müssen wissen, die Lissi, das ist die Frau vom Bert und von dem Tünn seine Schwägerin.«

»Die beiden Brüder haben den Laden zusammen gemacht«, fuhr der Senior mit einem mahnenden Blick an seine Gemahlin fort. »Die haben dat echt gut gemacht. Der

Jupp, der wo der Vater war, ist auch auf dem Nürburgring gestorben, wa.«

»Dat war nicht der Vater, dat war der Onkel, der Vater war der Fritz, der ist im Bett gestorben«, wollte die Alte korrigieren, doch winkte der Alte brüsk ab.

»Ich doch ejal, ob Jupp oder Fritz, die sind doch beide tot«, meinte er pragmatisch. »Der Vater kann jedenfalls da oben im Himmel stolz auf seine Kinder sein. Die haben beide gutes Geld verdient, auch wenn man das nicht so direkt gesehen hat. Aber die hatten die Werkstatt immer voll und immer viel zu tun.« Er stöhnte. »Aber so ist dat nun mal im Leben. Wennse Pech hast, bisse schneller tot, als wie du denken kannst.«

»Dann ist die Werkstatt also wegen des Todesfalls geschlossen?«, vermutete Böhnke, ungeniert dabei kauend.

»Nee, nee, dat hat damit überhaupt nichts zu tun. Die machen immer um diese Zeit Betriebsferien. Immer vom Rennen auf dem Nürburgring an vier bis fünf Wochen am Stück.«

»Macht denn der eine Theberath jetzt allein weiter?«

»Der Tünn, meinen Sie? Wie ich bei uns im Dorf gehört habe, sucht der wohl einen Kompagnon, wa. Aber jetzt ist der wohl erst einmal in Urlaub gefahren oder so. Der muss ja wohl erst noch den Tod von Bert verkraften, wenn Se wissen, wat ich meine.«

Böhnke nickte wissend.

»Aber danach will er wohl mit einem Partner weitermachen. Wäre ja auch schade um die schöne Werkstatt, wenn die zubliebe. Wäre echt 'ne Schande, wa?«

Was sollte Böhnke dazu sagen? Er grinste in sich hinein und warf einen Blick auf den Studenten, dem unverkennbar das Vergnügen an dieser Unterhaltung ins Gesicht geschrieben stand. Böhnke freute sich, an einen der echten Öcher geraten zu sein, der zwar bisweilen aufdringlich, aber immer unbefangen und entgegenkommend war und zugleich bisweilen etwas zu viel plauderte, wenn er besser schweigen würde. Aber diese Eigenschaften machten den Senior in gewisser Weise sogar sympathisch.

»Wäre echt Mist, wenn wir jetzt mit unseren Autos woanders hinmüssten, wo wir doch die Werkstatt bei uns auf der Straße haben«, nannte der Alte weitere, für ihn pragmatische Gründe, weswegen Theberath die Reparaturhalle weiter betreiben sollte.

»Da ist doch noch die Witwe. Die hat doch bestimmt auch etwas zu sagen«, gab Böhnke zu bedenken. »Vielleicht will sie ja als Erbin von Bert die Werkstatt verkaufen.«

»Jlööf ich nit«, entgegnete der Senior schnell. »Dat mäkt dat Lilli nit. Ich kenn se zwar nicht, weil die nicht von hier ist, aber dat kann ich mir nicht vorstellen. Die klaut doch dem Tünn nicht, wie sagt man, die Grundlage von dem seine Existenz. Sie verstehen?«

»Und außerdem«, seine Gemahlin schaltete sich mit ernster Stimme ein, bevor Böhnke etwas fragen konnte, »hat die ja schon die Lebensversicherung kassiert. Jetzt hatse ja genug Geld, aber keinen Mann. Dat war ein gutes Paar, wa.« Die Frau blickte traurig in das fast leere Bierglas in ihrer Hand. »Die Lissi, die hat sich richtig vergraben nach dem Tod von dem Bert. Die lässt sich in ihrer Trauer nirgendswo mehr blicken. Das kann man doch verstehen, wenn man seinen Liebsten verliert. Oder?«

»Ach, Trin«, unterbrach der Senior, »lass dat sentimentale Gesuse. Meinste etwa, ich buddel mich ein, wenn du mal stirbst.«

»Nein«, konterte die Alte. »Du gehst dir höchstens eine Buddel holen, du Schnapsdrossel. Aber ich sag dir das eine, ich komme garantiert nicht zu deiner Beerdigung, denn du kannst ja auch nicht zu meiner kommen. Du hast dich ja längst totgesoffen, bevor ich sterbe, wa.«

15.

Übersetzen oder besichtigen? Diese Frage stellte sich Böhnke und er entschied sie schnell, nachdem er zum wiederholten Male am dritten Knopf gescheitert war. Da fahr ich doch lieber durch die Eifel, beschloss er für sich und schob die unverständliche Gebrauchsanweisung erneut beiseite. Die Wahrscheinlichkeit, auf dem Nürburgring Informationen zu erhalten, die mit Bahns Geschichte zusammenhingen, war zwar gering, dachte er sich, aber er wollte dem Journalisten zeigen, dass er zumindest gewillt war, ihm zu helfen. Obendrein hatte es ihm das Schicksal der Brüder Theberath angetan. Was veranlasste eine Familie, und das schon seit Generationen, sich voll und ganz dem Autorennsport zu verschreiben?

Der Weg zum Nürburgring kam ihm wesentlich schneller vor als bei der ersten Tour. Kein Wunder, schließlich war er zu dieser Zeit fast allein auf der Straße unterwegs und der Verkehr staute sich nicht langsam und zäh fließend vorwärts. Ich bin halt der bessere Autofahrer, schmunzelte er. Er hatte seine besser Hälfte nach Aachen gefahren und sich für den Rest des Tages den Wagen kurzerhand ausgeliehen.

In den Unterlagen, die ihm Bahn mit der Einladung zugeschickt hatte, hatte sich auch ein Prospekt über die neue Erlebnis-Welt Nürburgring befunden. Bislang hatte es ein Rennmuseum und andere Unterhaltungsmöglichkeiten rund um den Ring gegeben. Jetzt waren sie alle unter dem Dach der Erlebnis-Welt vereint, ein Komplex unter anderem mit Museum und Themenpark, Attraktionen und einer Kartbahn rund um Mythos, Motorsport und Mobilität.

»Erleben Sie Geschichte und Zukunft der legendärsten Rennstrecke der Welt«, hatte er dem Prospekt entnommen. Es sollte einen Blick hinter die Kulissen der Formel 1 ebenso geben wie ein Film über das 24-Stunden-Rennen in einem 4-D-Kino. Auch das Selberfahren in einem Renn-Truck und eine Sammlung der schönsten Autos aus über 80 Jahren Historie waren weitere Attraktionen. Unterhaltung für die ganze Familie wurde angepriesen.

Böhnke war gespannt, was ihn tatsächlich erwarten würde, unter anderem war auch ein 217 Stundenkilometer schneller Sprint entlang der Start- und Zielgeraden während einer High-Speed-Fahrt möglich, durch den man die Faszination Geschwindigkeit erfahren würde. Aber darauf war er nun wirklich nicht erpicht. Eigentlich war sein Bedarf an Erlebnissen gedeckt, aber das Wort enthielt ein Teil, das ihn an seine Vergänglichkeit erinnerte: Leben.

Er mochte es lieber langsam statt mit High-Speed, so wie jetzt, als er über die Bundesstraße fuhr und hinter ihm ein Lkw-Fahrer fast verzweifelte. Da werde ich mich auf meine alten Tage doch noch einmal für den Rennsport interessieren, sagte er sich, auch wenn er das langsame Tempo bevorzugte. Was der Mensch doch so alles erlebt während seiner Zeit auf Erden!

Als er, den Hinweisschildern folgend, seinen beziehungsweise ihren Wagen, wie er eingestand, auf dem Parkplatz der Erlebnis-Welt abstellte, staunte er nicht schlecht. Augenscheinlich war er nicht der einzige Interessent, der mitten in der Woche einen Ausflug zum Nürburgring machte. Fast alle Stellplätze waren belegt. Die Information, die er am Rande des Prospekts gelesen hatte, wonach im Jahr rund zwei Millionen Menschen den Nürburgring besuchten, schien wohl nicht zu hoch gegriffen. Es war jedenfalls weitaus mehr los als im seiner Meinung nach geschichtsträchtigsten Ort der Nordeifel, der früheren NS-Ordensburg Vogelsang im neuen Naturpark. Der Normalbürger interessierte sich offenbar mehr für den Motorsport als für die Nazi-Vergangenheit in Deutschland, stellte er nüchtern fest.

Vor ihm stürmte eine Horde froh gelaunter Niederländer, die einem Reisebus entstiegen waren, zur Eintrittskasse der Erlebnis-Welt. Er stellte sich geduldig ans Ende der Schlage und schluckte erschrocken, als er den Eintrittspreis auf dem Schild an der Kasse las. Ganz schön teuer kam ihm der Eintritt vor, multipliziert mit zwei kam schon eine schöne Stange guter alter DM zusammen; er gehörte noch zum Schlag Menschen, die immer noch in die frühere Währung umrechneten und dann über die bisweilen stattlichen Preise staunte. Wären doch auch die Gehälter entsprechend der Preissteigerungen auf den Euro gestiegen, lamentierte nicht nur er. Aber er konnte das Rad der Geschichte nicht zurückdrehen und musste sich mit den finanziellen Gegebenheiten abfinden.

Da er schon einmal hier war, würde er die umgestaltete, erst vor wenigen Wochen eröffnete Erlebnis-Welt auch betreten, sonst hätte er ja gleich in Aachen oder Huppenbroich bleiben können, redete er sich ein. Außerdem hatte sich hinter ihm wieder eine dichte Schlange gebildet, die ihn unaufhörlich nach vorne schob.

Und so löste er die Eintrittskarte.

Nicht nur er, ziemlich alle Besucher in seiner Umgebung zuckten erschrocken zusammen, als plötzlich ohrenbetäubender Motorenlärm erschallte, der nur langsam abebbte, um einem gewaltigen Jubelsturm Platz zu machen. Gleich drei gut gekleidete Männer mit einem gewichtigen Gesichtsausdruck stürzten sich auf Böhnke.

»Glückwunsch!«, sagte der Größte des Trios. »Sie sind der 50.000 Besucher der Erlebnis-Welt Nürburgring nach der Neueröffnung. Wir haben eine Überraschung für Sie, die Sie bestimmt freuen wird.«

In einer Gefühlsmischung aus Verwunderung und Verunsicherung folgte Böhnke den dreien, die ihn zu einem reservierten Ecktisch in einer Cafeteria führten.

»Eigentlich war einer der Holländer vor Ihnen der 50.000 Besucher«, flüsterte einer der Männer, der nach dem Namensschild an dem Revers seines anthrazitfarbenen Anzugs zur Geschäftsleitung der Erlebnis-Welt gehörte. »Aber damit hätte es nur Komplikationen gegeben. Da ist uns eine Einzelperson wie Sie lieber. Sie freuen sich doch? Oder?«

Böhnke nickte. Worüber sollte er sich denn freuen? Erhielt er etwa sein Eintrittsgeld zurück?

Der Geschäftsführer, der laut Namensschild Rogowski hieß, lachte. »Das zwar nicht. Aber ich kann Ihnen versichern, dass dieses Geld gut angelegt ist. Sie bekommen einen Gegenwert, da kann man zu Zeiten der Finanzkrise nur noch staunen. Der Eintritt hat sich für Sie garantiert rentiert.«

Er platzierte sich mit seinen Kollegen und Böhnke vor einer großen Schautafel und grinste, während er dem immer noch perplexen Jubiläumsbesucher einen dicken Briefumschlag überreichte, in eine Kamera. »Sie haben doch bestimmt nichts dagegen, wenn wir diesen großen historischen Moment unseres 50.000 Besuchers mit einem Erinnerungsfoto dokumentieren, Herr ...«

»Böhnke, mein Name«, antwortete Böhnke leicht genervt. »Vielleicht haben Sie die Güte, mir zu erklären, was hier abgeht, Herr …«

»Ach, so. Ja, ja. Ich heiße Rogowski.« Er räusperte sich. »Wie Sie vielleicht wissen, ist unsere Erlebnis-Welt Nürburgring erst vor Kurzem neu eröffnet worden nach einem Umbau. Wir waren gewissermaßen die schnellste Baustelle Deutschlands.« Er lachte über seine Bemerkung, die Böhnke nicht auf Anhieb verstand.

»Bei der Wiedereröffnung haben wir einen Preis ausgelobt für den 50.000 Besucher. Und das sind Sie, Herr …«

»Böhnke, mein Name«, sprang Böhnke hilfreich ein.

»'tschuldigung«, mischte sich der Schlacks ein. »Mein Kollege ist vom Ereignis schier überwältigt.« Er schob Rogowski schlichtweg zur Seite. Er hieß, wenn Böhnke das Namensschild richtig gelesen hatte, Szymkowiak oder so ähnlich.

»Ich darf Ihnen im Namen der Nürburgring GmbH und der Erlebnis-Welt Nürburgring gratulieren und Ihnen einige kleine Geschenke überreichen, die Sie an diesen schönen Tag erinnern sollen. Da ist zunächst eine Fahrt über den kompletten Nürburgring in einem Rennwagen, selbstverständlich mit einem Fahrer, zum anderen einen Gästekarte unserer Erlebnis-Welt, mit der Sie und eine Begleitperson ein Jahr lang kostenlos Zutritt haben, und natürlich, und dafür werden Sie bestimmt von allen Ihren Freunden beneidet, eine VIP-Karte für zwei Personen für das Formel-1-Rennen in ein paar Wochen bei uns auf dem Ring. Na, ist das was, Herr Böhnke?«

Was sollte er sagen? Er war schon froh, dass der Schlacks seinen Namen behalten hatte.

»Das ist was«, stammelte er. Langsam geriet er auf ein

Gleis, auf das er gar nicht wollte. »Hören Sie«, sagte er kurz angebunden, »ich bin hier, um einiges zu ermitteln. Haben Sie jetzt noch viel mit mir vor?«

Beschwichtigend hob der Große die Arme. »Nicht doch, Herr Böhnke.« Er überreichte ihm eine Visitenkarte. Böhnke hatte richtig gelesen: Szymkowiak.

»Melden Sie sich bei mir. Dann machen wir das klar mit den Terminen. Und jetzt viel Spaß bei Ihren Ermittlungen.« Er lachte. »Wie sich das anhört: Ermittlungen. Das ist gut. Hört sich fast an, als seien Sie einem Verbrechen auf der Spur. Ich schicke Ihnen einen alten Haudegen vorbei. Der wird Ihnen unsere Erlebnis-Welt zeigen. Von dem bekommen Sie dann auch Ihre Dauerkarte.«

Mit höflichen, festen Händedrucken und bedeutungsschwangeren Mienen verabschiedete sich das Geschäftsführer-Trio, von denen der dritte Mann kein einziges Wort gesagt hatte.

»Hm.« Ein junger Mann näherte sich vorsichtig. Er hatte hinter der Kamera gestanden, die die Erinnerungsfotos für die Nachwelt aufgenommen hatte. »Können Sie mir vielleicht noch etwas sagen, Herr Böhnke. Brennicke ist mein Name. Ich mache für den Nürburgringnewsletter und für die Zeitungen der Region die Berichte über die Erlebnis-Welt. Da möchte ich schon ein wenig mehr haben als nur Ihren Namen.«

Böhnke nickte verständnisvoll. Das hatte er nun davon, dass er seine Nase in anderer Leute Angelegenheiten steckte. Jetzt musste er mitspielen.

»Vorname Rudolf-Günther, vorne mit f und hinten mit th. Fast 60. Aus Huppenbroich oder besser aus Aachen. Pensionierter Kriminalkommissar. Das erste Mal in der Erlebnis-Welt? Reicht das?«

»Im Prinzip schon. Nur eines: Wo liegt denn Huppenbroich, wenn ich Sie fragen darf?«

Böhnke staunte. Da kam jemand aus der Eifel und kannte Huppenbroich nicht. Aber er nahm seinen gedachten Kommentar zurück, als er sich an sein Unwissen wegen Hildesheim beziehungsweise Hillesheim erinnerte. »Huppenbroich ist ein Ortsteil von Simmerath und liegt nahe Monschau und dem Rursee.

»Aha. Aber es ist auch nicht verkehrt, wenn ich als Wohnort Aachen angebe? Das kennen dann auch Nicht-eifeler.« Brennicke notierte eifrig, Böhnkes Einverständnis voraussetzend. »Und was machen Sie hier in der Erlebnis-Welt. Ermittlungen, das hört sich ja richtig spannend an. Als wenn Sie einem Verbrechen auf der Spur wären. Das war doch bloß ein Scherz in Anspielung auf Ihren früheren Beruf?« So ganz sicher schien sich Brennicke nicht.

Im Prinzip hatte der junge Mann recht. Aber im gewissen Sinne waren es ja auch Ermittlungen, die ihn zum Nürburgring führten. »Am besten erzähle ich Ihnen mein Anliegen«, antwortete Böhnke nach kurzer Pause. »Ich war beim 24-Stunden-Rennen als Gast hier und da gab es einen Zwischenfall, bei dem ein Rennfahrer zu Tode kam und mein Gastgeber unschuldig verwickelt wurde. Haben Sie bestimmt mitbekommen?«

Der Reporter nickte betroffen. »Sie meinen Theberath?«

»Richtig. An diesem Unfall war auch ein Kollege von Ihnen und zugleich der Bekannte von mir beteiligt. Vielleicht kennen Sie ja Helmut Bahn aus Düren?«

Er kenne ihn nicht, antwortete Brennicke. »Ich kenne nur Siggi, der kommt aber aus der Schnee-Eifel.«

»Ist aber auch egal«, meinte Böhnke. »Bahn jedenfalls behauptet steif und fest, Schüsse gehört zu haben, unmittelbar, bevor der Rennwagen von Theberath ihn überholt hat, ins Schleudern geriet und danach ausbrannte. Er glaubt felsenfest, dass die Schüsse ihm gegolten haben, und jetzt versuche ich herauszufinden, ob das stimmen könnte.« Die Anschläge in Düren und die Drohbriefe wollte er nicht aufführen, um den Reporter nicht zu überfordern. »Wissen Sie vielleicht etwas davon?«

»Nein, äh, ja, äh, vielleicht«, stammelte Brennicke. »Offiziell handelt es sich um einen Rennunfall. Das habe ich auch überall geschrieben. Hinter den Kulissen wird aber gemunkelt, es könne sich um einen gezielten Anschlag gehandelt haben. Aber darüber werde ich natürlich nichts schreiben. Das wäre imageschädigend. Aber Genaues weiß ich nicht. Ich will auch nicht zu viel verraten.« Er blickte sich nahezu Hilfe suchend um. Seine Miene hellte auf, als er einen heranschleichenden livrierten Senior erblickte.

»Da kommt Ihr Führer, Herr Böhnke. Mit dem können Sie sich weiter unterhalten.« Er war froh, sich verabschieden zu können. Er winkte kurz und verschwand.

Böhnke war noch nicht einmal dazu gekommen, ihn erneut nach dem Namen zu fragen. Er hatte ihn nicht richtig verstanden. Es war etwas mit brennen und Ecke gewesen. Oder so.

Der Livrierte gab seinen Namen noch vor der Begrüßung preis. »Ich bin Ottmar Frings. Guten Tag, Herr Böhnke. Es ist mir eine Freude, Sie heute durch die Erlebnis-Welt Nürburgring führen zu dürfen.«

Begeistert klang Frings nicht gerade. Die Sätze schienen auswendig gelernt zu sein, was Böhnke ihm auch sagte. Der Senior mit der großen, dickglasigen Brille war ihm durchaus sympathisch, auch wenn er nörglerisch und lustlos daherkam.

»Da haben Sie vollkommen recht. Das frühere Rennmuseum war mir viel lieber als das neue, hochmoderne Gelände der Erlebnis-Welt hier am Nürburgring. Aber das ist wohl der Lauf der Zeit. Da passe ich nicht mehr ins Bild der modernen Spaßgesellschaft. Die kann ich ebenso wenig aufhalten, wie Sie es nicht können. Was möchten Sie denn sehen?«

Böhnke überlegte. Da er ja eigentlich eine Jahreskarte bekommen sollte, hatte er jederzeit die Möglichkeit, sich in der Erlebnis-Welt umzusehen und nach dem zu suchen, was ihn interessierte. Da ihn aber nichts interessierte, würde er sich auch nichts ansehen wollen. Insofern könnte Frings durchaus auf die angebotene Führung verzichten.

»Wie wärs, wenn wir uns erst einmal eine Tasse Kaffee und ein Stück Kuchen gönnen«, schlug er vor. »Dann können wir besser nachdenken.«

»Einverstanden«, freute sich der Senior. »Geht ja alles auf Kosten des Hauses. Da bin ich dabei.« Frings schien Böhnkes Vorschlag durchaus gelegen. »Um ehrlich zu sein, weiß ich mit dem modernen Schnickschnack nicht viel anzufangen. Ich habe zwar eine Einweisung bekommen, aber in meinem Alter will man vieles gar nicht mehr wissen und lernen. Früher, im Rennmuseum, da war alles einfacher. Da gab es Rennwagen, Bilder und Pokale, um es verkürzt zu sagen. Da konnte ich Ihnen zu jedem Rennwagen etwas sagen, besonders zum legendären Silberpfeil. Und die Geschichte der großen Fahrer, beispielsweise Caracciola oder Fangio, die kenne ich auswendig. Die musste ich immer wieder erzählen.

Jetzt gibt es Audio und Video, virtuell und Action, dafür

bin ich wohl zu alt.« Nahezu versonnen rührte er in seinem Kaffee. »Wolfgang Graf Berghe von Trips, Rolf Stommelen und Jochen Maas liegen mir ehrlich gesagt näher als unser Formel-1-Dauerweltmeister Michael Schumacher, sein Bruder Ralf oder Heinz-Harald Frentzen. Von den ganz jungen Spunden will ich gar nicht erst reden.«

»Wenn Sie die alten Hasen so gut kennen, dann kennen Sie bestimmt auch Berthold Theberath oder seinen Vater.« Böhnke nahm die Vorlage dankend an.

»Ja, sicher doch. Die Theberaths, die vorherige Generation, meine ich, das waren noch echte Kerle. Und der Bert und der Tünn, die sind schon als Kleinkinder mit auf dem Ring gewesen. Die habe ich aufwachsen gesehen. Die ganze Familie schraubte immer Tag und Nacht an ihren Wagen. Nicht so wie heute. Da kommt der Fahrer, setzt sich hinters Lenkrad und fährt los. Da waren die alten Theberaths aus einem ganz anderen Holz geschnitzt, und die haben dem Bert und dem Tünn noch einiges mitgegeben.«

»Und dann die Unfälle!«

Der Senior zuckte mit den Schultern. »Ist Rennfahrerschicksal, kann immer wieder vorkommen. Ein solcher Unfall hätte unserem Nürburgring beinahe das Aus gebracht. Er sei zu gefährlich und passe nicht mehr zu den modernen Rennwagen, wurde damals gesagt.«

Verständnislos blickte Böhnke auf. »Was meinen Sie?«

»Nun, als der Niki Lauda am 1. August 1976 auf der Nordschleife in seinem Rennwagen fast verbrannt wäre, hat man die Strecke gesperrt. Da durften keine Formel-1-Rennen mehr stattfinden. Zu gefährlich, zu wenig Sicherheit, und was da noch alles gesagt wurde.« Frings winkte ab. »Da musste mit verdammt viel Geld die kleine Schleife gebaut werden, die für den Formel-1-Zirkus passte. Jetzt haben wir quasi eine kleine Rennstrecke für die Formel-Fahrzeuge und die Nordschleife nur noch für die Langstreckenrennen.« Frings sah Böhnke bekümmert an. »Da stand der Nürburgring echt auf der Kippe. Aber ob der moderne Rennzirkus das Wahre ist. Schauen Sie sich doch die modernen Strecken an in Hockenheim oder im Osten. Die rechnen sich doch nicht mehr, behaupte ich. Wir am Nürburgring, wir haben den Mythos, den die anderen nicht haben, wir haben den Mythos der grünen Hölle. Und den nimmt uns keiner.« Langsam taute Frings auf, sein verklärter Blick in die Vergangenheit tat ihm gut. »Ein modernes Formel-1-Rennen bringt der Nürburgring-GmbH garantiert jedes Mal ein Defizit, meine ich. Der Hockenheimring will sogar auf sein Formel-1-Rennen verzichten, habe ich gehört. Und wir werden nicht einspringen. Die Formel 1 ist für jeden Veranstalter ein Millionengrab. Verdienen tun nur andere.«

Böhnke ließ den Mann reden. Er verstand nicht viel von dieser Materie und hörte lange und geduldig zu, bis er endlich wieder den Gesprächsverlauf in seinem Sinne verändert konnte.

»Die Theberaths, die sind aber keine Formel-1-Rennen gefahren?«

»Wo kommen Sie denn her?« Frings konnte über derart viel Unkenntnis nur staunen. »Das waren immer Haudegen bei den Langstreckenrennen. Aber diese Ära wird jetzt wohl endgültig vorbei sein nach Berts Unfall.«

»Wieso?«, fragte Böhnke.

»Wie ich in Fahrerkreisen gehört habe, will Tünn, also der jüngere Bruder von Bert, den Rennstall auflösen und sich ganz aus dem Geschäft zurückziehen. Der will sogar, so habe ich gehört, die Werkstatt aufgeben und etwas ganz anderes machen.«

»Meinen Sie, er war so geschockt von dem Unfall?«

»Ich glaube, es ist nicht nur wegen des Unfalls. Ich glaube, der hat ein bisschen Angst, weil er wohl glaubt, dass es Schüsse gegeben haben soll. Wird jedenfalls erzählt. Aber das ist nur eine Vermutung.«

Böhnke glaubte, nicht mehr Informationen von Frings zu bekommen, die für ihn brauchbar wären und die die Geschichte von Bahn aufklären könnten. Er kam zum Schluss: »Ist es noch weit bis nach Spa zu der dortigen Rennstrecke?«

Der Alte sah ihn erstaunt an. »Knapp 50 Kilometer westwärts, würde ich schätzen. Was wollen Sie denn da?«

»Vergleichen«, antwortete Böhnke knapp, sein eigentliches Anliegen verschweigend.

»Dann viel Glück«, sagte Frings. Er zog aus der Brusttasche seines Hemdes zwei Plastikkärtchen. »Das sind Ihre Dauereintrittskarten.« Er reichte sie über den Tisch. »Ich kann Ihnen nur einen Rat geben, wenn Sie nach Belgien fahren. Sprechen Sie an der Rennstrecke niemanden auf Stefan Bellof an.«

»Warum nicht?« Was meinte Frings? Wer war denn Stefan Bellof?

»Das war ein deutscher Rennfahrer. Der erste deutsche Langstreckenweltmeister. Er starb 1985 auf der Rennstrecke von Spa-Francorchamps. Die Ursache ist wohl nie richtig aufgeklärt worden. Darauf wollen die Pommes-Fresser nicht angesprochen werden.« Frings zeigte unverhohlen seine Verachtung. »Die reagieren auch noch nach mehr als 20 Jahren richtig sauer darauf, weil einige damals in Deutschland vermutet hatten, der Unfall wäre vermeidbar gewesen. Angeblich soll sich ein belgischer Rennfahrer bei Bellofs Überholversuch falsch verhalten und dadurch den Unfall in der Eau Rouge verursacht haben. Aber es gab keine Augenzeugen. Es gibt nur die Aussage des Belgiers und der weist jedes Mitverschulden von sich. Aber wie gesagt, am besten sprechen Sie das Thema in Belgien erst gar nicht an.«

16.

Die Kilometerangabe war fast richtig. Nach 54 Kilometern durch die Eifel und das Hohe Venn war Böhnke am Ziel in den Ardennen und fühlte sich in eine andere Zeit versetzt. War der Nürburgring ein Symbol des Modernen, schien die belgische Rennstrecke bei Spa ein Modell für das Überkommene zu sein. Weniger Farbe, weniger Beton und Stahl, alle Tribünen ein wenig kleiner und auch die Rennstrecke ein wenig anders als der Nürburgring, der eine geschlossene Rundstrecke darstellte, so glaubte er jedenfalls. Er fuhr lange Zeit auf einer Landstraße, die ihm vorkam, als gehöre sie zur Rennstrecke.

Der fast nahtlose Übergang vom deutschen Mittelgebirge in die belgischen Ardennen hatte ihn staunen lassen. Die Natur in ihrer grünen Wiesenpracht und den dicht bewaldeten Hängen war hier nicht weniger schön als in der Eifel.

Ein wenig fühlte er sich an eine Fahrt nach Berlin über die Autobahn erinnert. Dort türmten sich entlang der Fahrbahn Tribünen auf, dort wurden auf der Avus, wie ihm später erklärte wurde, auf der Autobahn mit zwei langen Geraden und zwei scharfen 180-Grad-Kurven Autorennen ausgetragen. In Spa erschien ihm alles einfacher, improvisiert, weniger belebt, aber es gab auch weniger Möglichkeiten, sich zu informieren. Vielleicht lag es aber auch daran, dass er nicht die richtige Stelle angefahren hatte, räumte Böhnke zweifelnd ein. Ein Gegenstück zur Erlebnis-Welt Nürburgring gab es jenseits der westlichen Staatsgrenze offensichtlich nicht. Er erspähte auch kein Museum. Das Rennbüro, wenn er das französisch Geschriebene richtig verstanden hatte, hatte geschlossen.

Gab es überhaupt jemanden an dieser Strecke?, fragte er sich umschauend. Endlich erkannte er eine Bewegung in einem Gebäude, das eine Garage zu sein schien. Es sah aber eher wie ein Schuppen aus. »Hallo«, meldete er sich. Hallo, das war international. Böhnke war sich nicht sicher, ob dieser Teil des belgischen Königreichs noch zur deutschsprachigen Gemeinschaft gehörte oder ob in diesem Gebiet schon oder nur Französisch gesprochen wurde.

»Hey«, machte sich der Mittvierziger im blauen Monteuranzug bemerkbar, der langsam auf Böhnke zuschritt. »Qu'est-ce qu'il ya? Was gibt es?«

Böhnke atmete auf. Glücklicherweise war er auf einen Mann getroffen, der mindestens zwei der drei belgischen Amtssprachen beherrschte.

»Ich suche Informationsmaterial über die Rennstrecke hier«, antwortete er und erntete ein ablehnendes Kopfschütteln.

»Gibt es hier nicht. Da müssen Sie ins Zentrum nach Francorchamps. Hier ist nur bei Autorennen was los.«

»Hm.« Böhnke schaute sich nachdenklich um. Er hatte sich seine Fahrt in die Ardennen anders vorgestellt. »Ich wollte mich eigentlich über Rennunfälle informieren.« Er startete eine Offensive. »Ich bin Kriminalkommissar und ermittele in ungeklärten Todesfällen«, behauptete er dreist.

Sofort kniff der Mann, vermutlich ein Hausmeister oder Streckenwart, die Augen zusammen. »Da kann ich Ihnen bestimmt nicht helfen. Dafür ist die Gendarmerie zuständig.«

Er wolle sich zunächst vor Ort informieren, bevor er den Kontakt zu seinen Kollegen suche, entgegnete Böhnke. »Vielleicht wissen Sie doch etwas.«

»Was denn?«

»Na ja, über Renntote.«

»Hacken Sie etwa auch auf der alten Geschichte rum mit dem Bellof? Dazu sage ich Ihnen garantiert nichts, weil dazu alles gesagt worden ist. Das Thema ist für mich tabu. Haben Sie verstanden?«

Böhnke beschwichtigte: »Ich bin wegen des letzten 1.000-Kilometer-Rennens hier. Wie Sie vielleicht mitbekommen haben, ist auf dem Nürburgring ein Rennfahrer namens Theberath tödlich verunglückt. Er soll auch schon in Spa in einen Unfall verwickelt gewesen sein.«

»Sie meinen den Bert?« Der Mann bekreuzigte sich. »Ein feiner Kerl, der war auch bei uns beliebt. Unfassbar, was da passiert ist. Aber so ist das Leben.« Er schüttelte den Kopf. »Das ist höhere Gewalt. Ich habe zwar gehört, dass es Gerüchte gibt, jemand habe auf dem Ring auf Bert geschossen, aber solche Gerüchte gibt es immer wieder, wenn es einen Unfall nach einem Reifenplatzer gibt. Das knallt wie ein Schuss.« Er schaute Böhnke nachdenklich an. »Andererseits gab es auch hier in Spa beim Rennen einen Zwischenfall. Dabei ist tatsächlich auf das Auto der Theberaths geschossen worden. Da hat der Tünn am Steuer gesessen. Der konnte aber den Wagen noch abfangen und in die Boxengasse fahren. Dort hat er dann ein Einschussloch in der Karosserie gefunden. Ich habe später in der Box die Einschussstelle im Heck oberhalb des Radkastens selbst gesehen. Die Polizei hat zwar Untersuchungen eingeleitet, aber nichts aufklären können. Danach haben wir uns alle verpflichtet, nicht darüber zu sprechen, um keine Unruhe unter den Motorsportlern aufkommen zu lassen. Aber jetzt, nach Berts Tod auf dem Ring.« Er kratzte sich am Kopf. »Ich weiß nicht, ob das Stillhalten jetzt noch richtig ist. Und vielleicht hat der Schuss hier ja auch etwas mit der Sache auf dem Ring zu tun. Was meinen Sie, Herr …?«

Böhnke ging nicht darauf ein. »Wenn es hier Schüsse oder zumindest einen Schuss auf den Wagen der Theberaths gegeben haben sollte, ist es nicht ausgeschlossen, dass es auch welche auf dem Nürburgring gegeben haben könnte. Oder?«

Was er nicht äußerte, war sein Gedanke, den er sich über Bahn gemacht hatte. Falls die Schüsse tatsächlich als Anschlag auf den Wagen der Theberaths vorgesehen waren, war Bahn nur zufällig getroffen worden. Wie waren bei dieser Konstellation aber der feige Angriff von hinten und die Drohbriefe zu bewerten? Wer steckte dahinter?

Ja, so könnte es sein, pflichtete ihm der Mann bei, er zog aus seinem Blaumann eine Zigarettenschachtel, klopfte darauf und bot Böhnke eine Filterlose an, die dieser schnell ablehnte. »Da hat man was gegen die Theberath-Brüder, könnte ich annehmen«, vermutete er. Er steckte sich eine Zigarette in den Mund.

»Wer gehört denn alles zu dem Team? Erst Tünn, dann Bert. Gibt es noch andere im Theberath-Clan?«, fragte Böhnke.

Der Mann ließ den Zigarettenqualm aus Mund und Nasenlöchern entweichen, während er antwortete: »Da ist noch die Lissi, die Frau vom Bert, und da gibt es noch den Wolle, der Mechaniker von denen. Er ist der dritte Mann, wenn sie an Langstreckenrennen teilnehmen. Die drei Männer sind schon seit Jahren ein Team. Ich habe gehört, dass Bert kürzertreten wollte, nachdem er und die Lissi geheiratet haben. Aber das wurde auch schon im letzten Jahr gesagt und dann haben sie doch das volle Programm durchgezogen. Die Theberaths können nicht anders. Die brauchen das Getriebeöl und den Benzingeruch. Ich glaube nicht, dass einer von denen freiwillig aufgehört hätte.«

Böhnke wusste nicht, wie er diese Einschätzung bewerten sollte. Eigentlich waren ja nicht die Theberath-Brüder mit ihrem Anhang sein Thema, sondern Bahn. Was die Fahrt nach Belgien für dieses Thema gebracht hatte, darüber war er sich nicht im Klaren. Nur so viel stand wohl fest: Bahn sollte nicht auf dem Nürburgring abgeschossen werden.

Oder doch?

Die Rückfahrt nach Huppenbroich trat er durch das Hohe Venn an. Vor Eupen konnte er der Versuchung nicht widerstehen, eine der Pommesbuden am Straßenrand anzufahren. Nicht ohne Grund wurden die Belgier als die Weltmeister der Pommes frites bezeichnet. Die belgischen Fritten schmeckten einfach besser als andere. Diesem Urteil vieler Pommes-Freunde hatte sich Böhnke inzwischen angeschlossen.

Über Monschau und Imgenbroich kam er endlich am frühen Abend wieder in Huppenbroich an. Er aktivierte sein Handy, das er zwischenzeitlich ausgeschaltet hatte. Aus Erfahrung klug geworden, hatte er das Gerät vom Netzempfang abgemeldet. Ansonsten hätte er wegen jedes Grenzwechsels und der verschiedenen Telefonnetze nach den häufigen Funklöchern in der bergigen Region mehr SMS erhalten, als dem Handyspeicher gutgetan hätte. Jedes neue Netz meldete sich mit einem Brummen oder Klingeln, da war es ratsam, sich während einer Autofahrt nicht ständig von den Meldungen ablenken zu lassen.

Kaum hatte er das aktivierte Mobiltelefon im Wohnzimmer an der richtigen Stelle platziert, da erklang auch schon der Radetzkymarsch.

Seine Liebste wollte ihn unbedingt sprechen und klang ein wenig ungehalten: »Ich brauche das Auto, Rudolf-Günther. Ich habe dir doch gesagt, dass ich damit morgen früh zu einem Kongress nach Düsseldorf fahren muss.«

Er habe es vergessen, musste Böhnke zerknirscht einräumen.

»Und nun?«

»Nun wirst du dich wieder hinters Lenkrad klemmen und nach Aachen kommen und dann werde ich dich wieder nach Huppenbroich fahren. Es ist immerhin noch mein Auto, mein Lieber, das muss ich wohl doch mal klarstellen.«

Wenig begeistert kletterte Böhnke wieder in das Fahrzeug. Das hatte er nun davon, dass er sich den Wagen ständig auslieh. Und wofür? Im Prinzip hatte ihm die Tour zu den Rennstrecken in Bahns Sache nicht richtig weitergebracht. Und dennoch, wenn er zurückblickte: Er hatte einen Hauptgewinn gemacht. 50.000 Besucher der neuen Erlebnis-Welt Nürburgring.

Er stockte, etwas stimmte nicht. Etwas hatte er heute übersehen oder nicht genügend beachtet. Er wusste nur nicht, was es war.

Lange grübelte er während seiner Fahrt nach Aachen, aber er kam nicht darauf, was ihn störte.

Seine Liebste war nicht an seinen neuen Erkenntnissen interessiert. Sie wollte nur wissen, ob sie beim Formel-1-Rennen wieder im Dorint untergebracht würden.

»Dann fahre ich dich auch gerne dahin.«

17.

Ruhe. Endlich einmal Ruhe. Böhnke gönnte sich die Auszeit, zumal er sich nicht nur geistig, sondern auch körperlich angeschlagen fühlte. War es wieder so weit? Stand ein neuer Schub seiner unbekannten Krankheit bevor?

Er wusste es nicht. Er wusste nur, dass er seine Ruhe haben wollte. Nichts von Bahn hören, nichts mit seiner Liebsten unternehmen. Er wollte allein sein, allein mit sich in der frühlingshaften Natur. Er wertete es als gutes Zeichen, dass Bahn sich schon seit ein paar Tagen nicht mehr gemeldet hatte. Offenbar hatten die Drohgebärden und die Angriffe auf ihn und sein Haus aufgehört. Was wiederum dafür sprach, dass tatsächlich einer der beiden Theberath-Brüder auf dem Nürburgring geschädigt werden sollte.

Böhnke wollte sich deswegen keine Gedanken mehr machen und seine Konzentration lieber dem Geheimnis des dritten Knopfs zuwenden. »Das schadet niemandem und ist im Prinzip unwichtig«, sagte er zu seinem Spiegelbild, als er sich für einen Spaziergang einkleidete.

Wenn doch das Leben so einfach wäre. Langsam lief er am ehemaligen Löschteich, dessen Schilfgürtel längst zum Vollbewuchs geworden war, vorbei in die Straße Am Trift, um sich von hinten auf dem schmalen Weg entlang des Meisterhauses dem Hühnerstall zu nähern.

Noch vor der verschlossenen Haustür hörte er das Klingeln des Telefons. Er hatte das Gefühl, dass dieser Anruf nichts Gutes verhieß, als er zögernd den Hörer abnahm und sich meldete.

»Was hast du bloß gemacht, Rudolf-Günther?« Seine Liebste rief aufgeregt, vielleicht sogar verängstigt in den Hörer. Wenn sie ihn mit seinem Vornamen ansprach, war es ernst und sie gab zu verstehen, dass sie nicht zu seiner Erbauung anrief.

»Lieselotte, was ist?« Noch ein Indiz, dass es sich um kein normales Telefonat handeln würde. Böhnke hatte die Anspannung seiner Apothekerin körperlich gespürt, war auf ihren Vornamen eingegangen und hatte nicht, wie üblicherweise, ›Liesel‹ gesagt oder, wie im zornigen Zustand, ›Lotte‹. »Was ist? Was soll ich gemacht haben?«

»Ach, ich weiß es doch nicht«, schluchzte die Apothekerin, wodurch sie Böhnkes Unruhe noch steigerte.

»Nun, komm. Was ist?«

»Was los ist, willst du wissen?« Jetzt schrie die Frau fast schon ins Telefon. »Man hat mir das Auto kaputt gemacht. Als ich eben zufällig zum Parkplatz ging, musste ich sehen, dass alle vier Reifen zerstochen waren. Man hat sie mit einem spitzen Gegenstand aufgeschlitzt, hat mir die Polizei gesagt.«

Böhnke atmete durch. Ihr war nichts passiert. Und ein demoliertes Fahrzeug war noch kein Weltuntergang. Absichtlich hatte wohl jemand, so überlegte er, sich als Reifenstecher betätigt. Seine Frau hatte richtigerweise die Polizei benachrichtigt und die Kollegen hatten die Ursachen festgestellt.

»Was sagt denn die Polizei?«

Die Frage hätte er sich schenken können, denn er wusste die Antwort schon: Man werde wohl keine Spuren am Fahrzeug finden. Sie solle eine Strafanzeige gegen unbekannt wegen Sachbeschädigung erstatten und ihre Versicherung informieren. Man würde ein Protokoll aufsetzen und ihr den Bericht zuschicken.

»Das war doch Absicht und kein Zufall!«, ereiferte sie sich. »Und ich glaube nicht, dass das was mit mir zu tun hat. Das hat mit dir zu tun.« Die Polizei habe ihr gesagt, nur ihr Auto sei auf dem Parkplatz beschädigt worden. Man könne sagen, die Unbekannten hätten das gezielt ausgesucht. »Du bist doch die ganze Zeit damit unterwegs gewesen. Das muss mit dir zu tun haben.«

Böhnke schwieg nachdenklich. Im Prinzip sprach nichts dafür, dass jemand seine Liebste schädigen wollte. Aber warum wurde ihr Auto geschädigt, wenn er getroffen werden sollte? Das passte nicht. Aber er wollte ihr nicht widersprechen. Vielleicht war es für sie sogar besser, wenn sie glaubte, die Reifenschlitzer wollten ihn treffen und nicht sie. Aber woher ...? Er unterbrach seine Gedanken.

»Ich kümmere mich drum«, versprach er und versuchte, zuversichtlich zu klingen. »Was ist mit dem Auto?«

»Ist schon repariert«, antwortete sie nun wieder gefasst. »Dafür haben deine Kollegen schon gesorgt. Ist doch gelegentlich ganz von Vorteil, wenn man einen alten Kommissar persönlich kennt.« Sie gab sich munter. »Ich komme heute Abend nach Huppenbroich und bleibe morgen bei dir.«

»Was machen Sie bloß, Herr Böhnke?«

Kaum hatte er das eine Telefonat beendet, da meldete sich schon der Nächste, der ihn unbedingt sprechen wollte.

Auch Bahn hörte sich angespannt und aufgeregt an. »Wissen Sie, was passiert ist?«

»Was?« Böhnke gab sich kurz angebunden. Er verarbeitete noch das vorausgegangene Telefonat und hatte keinen Sinn für eine weitere Unterhaltung.

»Ich habe heute wieder einen Liebesbrief erhalten. Und ich dachte schon, es wäre vorbei.«

»Weiter«, drängte Böhnke. Bahn sollte gefälligst nicht ausschweifend bei seiner Geburt anfangen, sondern zur Sache kommen. »Was steht denn in dem Brief?«

»Wörtlich steht da: Passen Sie nicht nur auf sich auf, sondern passen Sie auch auf Ihren Freund Böhnke auf.«

Bahn lachte gequält auf, während Böhnke schluckte. Was hatte das schon wieder zu bedeuten, verflucht noch mal?

»Herr Böhnke, die Arschlöcher haben es jetzt auch auf Sie abgesehen. Können Sie das verstehen?«

Ja, hätte Böhnke antworten können, ja, ich kann es verstehen, weil ich einem Journalisten helfen möchte. Den Namen Krupp, der ihm durch den Kopf flog, schob er wieder beiseite. Darum würde er sich eventuell später kümmern. Aber er sagte es nicht, weil es wieder viel zu viele Fragen gab, auf die er keine Antworten kannte.

»Nein«, antwortete er. »Keine Ahnung. Ich weiß nicht, was das zu bedeuten hat. Haben Sie die Polizei alarmiert?«

»Selbstverständlich. Sie können sich vorstellen, was die mir gesagt haben. Man werde den Brief protokollieren, ihn auf Hinweise untersuchen, etwa auf Fingerabdrücke. Es sei aber im Prinzip ebenso müßig, wie es bei den anderen Briefen war. Ich solle auf mich aufpassen. Das wars dann auch schon.«

Schnell beendete Böhnke das Telefonat mit der Behauptung, er sei müde und müsse sich ausruhen.

Doch war an Ruhe nicht zu denken. Die Fragen schwirrten ihm durch den Kopf, den er bei einem zusätzlichen Spaziergang freibekommen wollte. Zwei blieben, die für ihn die entscheidenden waren: Woher wussten die unbekannten Briefeschreiber, dass es ihn treffen könnte, wenn sie das Auto der Apothekerin beschädigten? Und: Woher wussten die Arschgesichter von seiner Beziehung zu Bahn?

Lange grübelte er über die Fragen, fand auch Antwortmöglichkeiten, die aber allesamt einen großen Fehler hatten. Sie waren zwar theoretisch plausibel, es fehlten die handfesten Beweise in der Praxis. Wieder kam ihm Krupp in den Sinn. »In der Theorie«, sagte er zu sich, »in der Praxis habe ich nichts in der Hand.«

Endlich wusste er, was er als Nächstes tun würde. Da passte es ganz gut, dass seine Liebste nach Huppenbroich kam. So schnell, wie es sein körperlicher Zustand zuließ, kehrte er zum Hühnerstall zurück, suchte, natürlich da, wo er sie geglaubt hatte, hingelegt zu haben, zunächst vergeblich nach der Visitenkarte und schaffte es dann noch nach erfolgreicher Suche an einer unmöglichen Stelle neben dem Kühlschrank, wenige Minuten vor Büroschluss, Szymkowiak in der Erlebnis-Welt Nürburgring an die Strippe zu bekommen.

Ihre Begeisterung hielt sich in Grenzen, als er Lieselotte bat, ihn an ihrem freien Tag zum Nürburgring zu begleiten.

»Was willst du da?«, hatte sie ihn lustlos gefragt. »Haben wir momentan nicht andere Probleme?«

»Ich will versuchen zu verhindern, dass uns ein Irrer noch einmal die Reifen zersticht oder uns das Haus über dem Kopf anzündet«, hatte er geantwortet. Er hatte keine Zeit für feinfühlige Spielchen, er wollte sein Ziel erreichen.

Nun saßen sie, sich anschweigend, im Polo mit dem Ziel Nürburgring. Ob er dort tatsächlich eine Lösung finden würde?

Er hatte seine Zweifel, aber er hatte auch das Gefühl, auf dem Nürburgring Informationen zu erhalten, die zu diesem Irren führen könnten. Einen Fehler, einen verdammt großen Fehler hatte dieser nach Böhnkes Auffassung gemacht. Er hatte die Apothekerin in sein schändliches Treiben verwickelt. Dafür würde er zahlen, nahm sich Böhnke entschlossen vor.

Wie auch immer.

Die Fahrt durch die Eifel kam ihm noch kürzer vor als die letzte, die er allein unternommen hatte. Wahrscheinlich lag es daran, dass er so sehr in seine Gedanken vertieft war und nichts von der Umgebung mitbekommen hatte.

»So, du Hauptgewinner, wir sind da. Und was steht jetzt auf dem Programm?« Seine Liebste klang nicht gerade begeistert, als sie ihn das fragte, während sie aus dem Wagen stiegen.

»Zunächst ein Gespräch und dann eine Tour über die Rennstrecke.«

»Ohne mich«, sagte sie spontan. »Ich rase doch nicht wie eine Idiotin durch die Gegend.«

Freundlich lächelnd ließ sie sich von Szymkowiak begrüßen, der ihnen aus der Erlebnis-Welt entgegengeeilt war. Gerne nehme sie sein Angebot an, sich durch die neue Einrichtung von einem Führer leiten zu lassen.

»Das ist mir allemal lieber, als wie in einem Rennwagen zu sitzen«, sagte sie mit großer Selbstverständlichkeit. Sie rieb sich die Arme. »Außerdem hab ich kalt. Ich bin im Haus besser aufgehoben als wie draußen.« Überall sonst hätte Böhnke sie korrigiert und auf ihren sprachlichen Fehler hingewiesen. Schließlich war jemandem kalt, nur in Aachen nicht. Dort hat man, auch wenn die Zeit der französischen Besatzung längst vorbei war, immer noch kalt.

Hinter Szymkowiak war der junge Mann auf sie zugekommen, der Böhnke abgelichtet und fotografiert hatte.

»Sie sehen, es ist mir gelungen, unseren journalistischen Mitarbeiter zu erwischen«, lachte der lange Geschäftsführer.

Gemeinsam machten sie es sich in der Cafeteria bequem. Wieder herrschte großer Publikumsandrang. Die Erlebnis-Welt schien für viele attraktiv zu sein, meinte Böhnke schmeichelnd.

Doch kaum hatten sie die Getränke bestellt, mahnte ein Piepser am Gürtel des Geschäftsführers, sich unverzüglich in sein Büro zu begeben. Wenig später kam auch der livrierte Senior angehumpelt, der die Apothekerin entführte.

Böhnke hatte sein erstes Ziel erreicht, ein Gespräch unter vier Augen mit dem Haus-und-Hof-Journalisten, dessen Name ihm entfallen war.

»Wie heißen Sie noch mal, junger Mann?«, fragte er unbekümmert.

»Brennicke«, war die Antwort.

Jetzt, wo er es sagte, fiel es ihm auch wieder ein.

»Aber das stimmt nicht ganz. Das ist der Name meiner Mutter, unter dem ich meine Berichte verfasse. Laut Geburtsurkunde ist mein Familienname Dopplerkopf.«

Böhnke ließ sich nichts anmerken. Er nahm den ungewöhnlichen Namen hin, als sei er der selbstverständlichste auf der Welt wie Meier, Müller, Schmitz oder Schulz.

»Sie haben die Berichte über mich gemacht, als ich als 50.000 Besucher der Erlebnis-Welt die Preise erhielt?« Die Frage war weniger eine Frage als eine Feststellung. »Stimmts?«

Dopplerkopf nickte bejahend.

»Für wen haben Sie die Berichte gemacht?«

»Für die Nürburgring-GmbH.«

Wer ungenau fragt, darf sich nicht über ungenaue Antworten wundern, tadelte Böhnke sich selbst.

»Das ist mir klar. Mich würde vielmehr interessieren, wo Ihre Berichte erschienen sind oder vielleicht noch erscheinen sollen.«

»Na, in allen Zeitungen rund um den Ring und in ein paar Anzeigenblättern gab es Berichte. Und dann erscheint das auch noch im Dezember im neuen Jahrbuch des Nürburgrings.«

»Also hier in der Region?« Damit würde der Kreis derjenigen eingeschränkt, die überhaupt wussten, dass er wegen des Todes von Theberath und des Geschehens rund um Bahn ermittelte, überlegte Böhnke. Doch strich er diesen Gedanken, als Dopplerkopf nach einem Schluck aus seinem Colaglas fortfuhr: »Außerdem habe ich allen Motorsportzeitschriften meine Sachen zugeschickt und dann standen diese natürlich in voller Schönheit und Länge auch im Newsletter, den die Nürburgring-GmbH herausgibt.«

»Und über den kann jeder an jedem Zipfel der Welt erfahren, was Sie über mich geschrieben haben?«

Statt einer Antwort drückte ihm Dopplerkopf die Kopie eines Zeitungsartikels in die Hand. »Lesen Sie und sagen mir dann, ob etwas falsch ist«, sagte er gelassen.

Unter der neutralen bis langweiligen Überschrift ›50.000 Besucher‹ hatte Dopplerkopf einen Bericht verfasst, in dem er nicht nur Werbung für die Erlebnis-Welt und die Betreibergesellschaft machte, sondern auch ausführlich über Böhnkes Auftritte auf der Rennstrecke informierte. Der ehemalige Kriminalkommissar aus Aachen mit einer Ferienwohnung in der Eifel ermittele aus privaten Gründen wegen der Umstände, die zu dem tödlichen Rennunfall von Berthold Theberath geführt hätten, in den auch sein Freund, der Journalist Helmut Bahn aus Düren, verwickelt gewesen war.

Deutlicher hätte der Satz nicht sein können. Er war geradezu eine Steilvorlage für jeden Ganoven, der ihm etwas ans Zeug flicken wollte. Dabei blieb für Böhnke noch eine Frage zu klären: Woher wusste der Irre erstens, dass der Wagen der Apothekerin der Wagen war, mit dem er fuhr, und zweitens, dass der Wagen in Aachen geparkt war und nicht in Huppenbroich? Aber auf die Frage würde Dopplerkopf garantiert keine Antwort geben können.

Außerdem konnte er dem jungen Journalisten nichts vorwerfen. Dopplerkopf hatte nichts hinzugedichtet, er hatte sogar etwas weggelassen: Huppenbroich war ihm wohl doch nicht geheuer gewesen, da hatte er lieber von der Eifel allgemein geschrieben.

»Dann ist quasi die Zahl derjenigen, die über mich und meinen Besuch wissen, nahezu unermesslich?«

»So können Sie es sagen. Ich weiß nicht, wie viele Tausend Leser die Printmedien haben und in welchen Fachblättern der Artikel noch stand. Und ich weiß auch nicht, wie viele Menschen unseren Newsletter abonniert haben. Aber selbst die Abonnentenliste ist wenig aussagekräftig, weil der Artikel ja auch an vorderster Stelle auf der Homepage unserer Erlebnis-Welt steht.«

Von Datenschutz hatte Dopplerkopf wahrscheinlich wenig gehört, zürnte Böhnke, nahm sich dann aber zurück. Selbstverständlich war diese Berichterstattung kein Fall eines Verstoßes gegen den Datenschutz. Der Bericht machte nur wieder einmal deutlich, wie gläsern der einzelne Mensch in der Medienwelt geworden war.

»Sie haben mir mit Ihren Auskünften sehr geholfen«, log er und drückte dem jungen Mann dankend die Hand. Zumindest hatte er ihm bei der Erkenntnis geholfen, dass jeder Beelzebub, der ihm etwas Schlechtes wollte, viele Informationen über ihn erhalten hatte.

Und noch eine Erkenntnis wuchs in ihm. Er hatte eine Ahnung, wer wie auf das Auto seiner Liebsten gestoßen war. Bloß nicht vergessen!, mahnte er sich. Langsam war es an der Zeit, sich Notizen zu machen, nahm er sich zum wiederholten Male vor, wie immer, wenn die Zahl der Fakten bei der Untersuchung eines Falles gewaltig anstieg. Doch hatte er bisher auf einen Notizblock verzichtet.

Je länger er sich mit seinem Ansatz befasste, umso deutlicher wurde für ihn die Lösung, abstrakt zwar und ohne Beweiskraft, aber immerhin. Er glaubte, den richtigen Weg gefunden zu haben, um wenigstens eines der Rätsel zu lösen.

Tünn Theberath würde ihm dabei gewiss weiterhelfen. Glaubte er nicht nur, sondern war er sich sicher.

18.

Er sei wohl ein Glückspilz, sprach ihn ein großer, schlanker Mann mit einer grauweißen, schulterlangen Mähne an. Er war in Böhnkes Alter, sofern der Kommissar den Riesen in der Rennmontur richtig einschätzte.

»Ich bin Hans-Joachim und Ihr Fahrer, wenn es jetzt um den Ring geht.« Der Mann reichte Böhnke die Hand und lächelte: »Wir beide haben heute den ganzen Ring nur für uns allein. Die Strecke war bis eben wegen Reinigungsarbeiten gesperrt. Die Kehrmaschinen würden die Jungs stören, wenn die aufs Gaspedal drücken. Jetzt sind die Kisten im Stall und es ist niemand hier, der fahren möchte.«

Er schob Böhnke aus der Cafeteria zur Piste und deutete auf einen Sportwagen. Ob es sich um einen Porsche oder um einen BMW handelte, hätte Böhnke nicht sagen können.

»Wir beide dürfen uns heute richtig austoben«, frohlockte Hans-Joachim. »Wollen Sie fahren?« Er hatte unüberhörbar einen bayerischen Akzent, auch wenn er sich bemühte, Hochdeutsch zu sprechen.

»Gott bewahre!« Abwehrend hob Böhnke die Hände. »Bloß nicht.«

Hans-Joachim lachte. »Keine Sorge. Ehrlich gesagt, ich hätte Sie auch nicht ans Steuer gelassen. Ich bin doch nicht lebensmüde.« Der Wagen sei zwar aus Rennfahrersicht relativ langsam mit gerade einmal knapp 280 km/h in der Spitze, aber für einen Unerfahrenen auf dem Ring viel zu schnell.

»Ich bin, ehrlich gesagt«, offenbar sein Lieblingswort, wie Böhnke annahm, »froh, dass wir die Strecke für uns haben und keine Touris darauf herumeiern. Da brauchen wir uns nicht auf Sonntagsfahrer konzentrieren und müssen auch keinem Stümper aus dem Graben helfen. Sie können sich, ehrlich gesagt, gar nicht vorstellen, wie viele Freizeit-Schumis oder Möchte-gern-Vettels ihre Familienkisten hier zu Schrott zerlegen, weil sie sich und ihre Autos überschätzen und den Nürburgring unterschätzen.« Er war in den dürftig ausgestatteten Wagen geklettert und forderte Böhnke auf, es ihm an der Beifahrerseite gleichzutun. »Luxus dürfen Sie in so einem Wagen nicht erwarten. Das ist im Prinzip ein rollender Käfig, in dem Sie sicher und geschützt jeden Salto überleben können.«

»Wenn die Kiste nicht gerade Feuer fängt«, warf Böhnke ein, das mulmige Gefühl in der Magengegend unterdrückend.

Hans-Joachim ging auf die Bemerkung nicht ein. Er hatte sich zu Böhnke hinübergebeugt, der verkrampft in der Sitzschale hockte.

»Ist kein Sofa«, lachte der Mann, »aber durchaus bequem, wenn Sie erst einmal die Hosenträgergurte angelegt haben. Dann kann Ihnen fast nichts mehr passieren«, versicherte er zuversichtlich, während er die Schlösser der Gurte einschnappen ließ.

»Wenn Sie wollen, kanns losgehen.«

Böhnke nickte ergeben. Worauf ließ er sich da bloß ein? Er redete sich Zuversicht ein. Man würde ihm bestimmt keinen Anfänger als Fahrer ausgewählt haben.

Als Hans-Joachim anfuhr, glaubte Böhnke, er würde in den Sitz und durch ihn durchgepresst werden, von Schraubzwingen umklammert.

»Keine Panik, mein Herr«, meinte Hans-Joachim vergnügt. »Es ist alles ganz harmlos. Ehrlich gesagt sind wir noch gar nicht richtig losgefahren. Ich habe nur ein wenig auf der Geraden beschleunigt«, behauptete er und schoss mit quietschenden Reifen erst in eine scharfe Rechtskurve und dann sofort in eine Linkskurve, der eine weitere folgte.

Eine im Bogen gebaute Tribüne war förmlich an Böhnke vorbeigeflogen. Er klammerte sich an seinem Sitz fest und erkannte mit aufgerissenen Augen, dass Hans-Joachim mit scheinbar steigendem Tempo auf die nächste Kurve zuraste. Sie war so schnell verschwunden, wie sie gekommen war. Böhnke wusste nicht mehr, wo er sich befand. Erst links, dann rechts, dann wieder links entlang der Strecke huschten Gebäude und Tribünen vorbei. Eine letzte Linkskurve, fast schon eine Spitzkehre, nach der Böhnke das Dorinthotel an der Seite erkannte, und Hans-Joachim drosselte die Geschwindigkeit.

»So, das war jetzt eine Einführungsrunde über die Grand-Prix-Strecke. Sehen Sie den Turm rechts von uns?« Er deutete auf das Gebäude vor ihnen, in dem Böhnke die Rennjury hatte sprechen wollen. »Dieser Turm ist, ehrlich gesagt, im Prinzip das letzte Überbleibsel vom ursprünglichen Nürburgring. Auf den Zahlentafeln des Turms wird bei einem Rennen immer der aktuelle Rennstand angezeigt.«

»Aha«, kommentierte Böhnke uninteressiert.

»Wenns Ihnen recht ist, fahre ich etwas schneller über den Grand-Prix-Kurs.« Hans-Joachim wartete eine Erwiderung gar nicht erst ab. Er tippte wieder auf das Gaspedal und das Fahrzeug schoss nach vorne. Wieder flogen die Kurven auf sie zu, wieder quietschen unablässig bei jedem Richtungswechsel die Reifen. Hans-Joachim kuppelte und schaltete schneller, als es sein Beifahrer nachverfolgen konnte.

Langsam wich in Böhnke die Anspannung. Mehr noch, er hatte Vertrauen in Hans-Joachim und dessen Fahrkünste.

Ehrlich gesagt glaubte er nicht, dass der Fahrer sein Leben riskieren würde, nur um einem alten Mann zu imponieren.

»Sie fahren auch Rennen?« Er musste laut sprechen, um die Fahrgeräusche zu übertönen.

»Nicht mehr. Ich bin, ehrlich gesagt, zu alt für die jungen Spunde in den rasenden Kisten. Ich gebe nicht mehr 100 Prozent und gehe nicht mehr ans Limit. Dann ist es besser aufzuhören, als einmal zu weit gegangen zu sein. Du musst immer vor deinem letzten Unfall aufhören, nicht nach deinem letzten, ist eine alte Weisheit im Motorsport. Denn dein letzter Unfall kann tödlich sein. Ich probiere nur noch für andere aus. Ich bin jetzt quasi Testfahrer und Entwickler.« Hans-Joachim sah Böhnke von der Seite an.

»Wir wärs mit der Nordschleife. Immer nur Formel-1-Strecke ist doch langweilig, ehrlich gesagt.«

Böhnke sparte sich die Antwort. Er war nur Gast und Beifahrer. Der Mann hinter dem Steuer hätte ohnehin das getan, was er machen wollte.

Und so bog er hinter dem Fahrerlager urplötzlich in der Rechtskurve nach links in eine lang gezogene aufsteigende Kurve ab.

Böhnke sah den Wald auf sich zufliegen. Wo sollte hier die Strecke sein?

»Willkommen in der grünen Hölle!«, rief Hans-Joachim jauchzend. Er führte sich auf wie ein Kind, das zu Weihnachten die sich sehnlichst gewünschte Autorennbahn erhalten hatte. »Juhu!«

Er beruhigte sich wieder. »Ich lasse es, ehrlich gesagt, in der ersten Runde etwas langsamer angehen, damit Sie etwas von der Landschaft mitbekommen«, erklärte er, während er im Getriebe mischte. »Die Landschaft hier ist nämlich verdammt schön.«

Was Hans-Joachim als langsam bezeichnete, führte bei Böhnke zu der angstvollen Vorstellung, was dann erst schnell sein sollte. Ihm kam dieses Tempo schon so vor, wie es der Strecke angemessen schien, nämlich höllisch. Sein nervöser Blick auf das angedeutete Armaturenbrett mit der Suche nach einer Tachonadel ging ins Leere.

»Wir haben keinen Geschwindigkeitsanzeiger, ich brauche nur einen Drehzahlmesser«, erklärte ihm Hans-Joachim. »Sie bekommen sofort ein Gefühl dafür, wie schnell Sie fahren können und wie schnell Sie fahren dürfen, ohne Ihrem Wagen zu schaden.« Er lachte vergnügt auf. »Sie merken spätestens dann, dass Sie zu schnell gefahren sind, wenn Sie sich im Graben wiederfinden. Aber besser Graben als Grab, ehrlich gesagt.« Er drehte den Kopf kurz zur Seite. »Das ist übrigens die Stelle, an der Niki Lauda abgefackelt wurde und beinahe im Grab gelandet wäre.«

Ehe Böhnke reagieren konnte, waren sie schon vorbeigerauscht.

Hatzenbach, Flugplatz, Schwedenkreuz, Adenauer Forst, Wehrseifen, Breidscheid. Kesselchen, Klostertal, Hohe Acht, Wippermann, Karussell, Schwalbenschwanz, Brünnchen, Pflanzgarten, Döttinger Höhe, Antoniusbuche, Tiergarten. Böhnke konnte sich nicht alle Namen merken, die ihm sein Fahrer während der Fahrt zurief. Er behielt nur einige. Hans-Joachim warf mit den Namen nur so um sich, und Böhnke verstand nur, dass sie verschiedene

Streckenabschnitte bezeichneten. Bergauf, bergab, durch Wälder und begleitet von Wiesen, weit geschwungenen Kurven, dann fast wieder ein Knick, hinauf auf Kuppen, hinter denen etwas kam, von dem Böhnke nichts wusste, dann eine Kurve, die überging in eine weitere, um dann in der Abfahrt mit einem Schwenk wieder zu einer Bergfahrt zu werden.

War das wie in einer Achterbahn? Böhnke war nie mit einer solchen gefahren, aber das hier, das musste mehr sein als das. Die Fahrt war einfach nur höllisch schnell, die Landschaft höllisch grün, der ständige Wechsel zwischen Vollbremsung und Vollgas atemberaubend. »Offiziell soll der Ring 73 Kurven haben«, sagte der Fahrer, »es könnten aber auch 100 sein.« Böhnke hätte 1.000 geschätzt.

Schneller, als der Kommissar gedacht hatte, waren sie wieder auf dem kleinen, Formel-1-tauglichen Ring, was er daran erkannte, dass links am Streckenrand das markante Dorint auftauchte.

»Ehrlich gesagt empfinde ich unser Tempo als etwas langsam«, meinte Hans-Joachim.

Vorsorglich klammerte sich Böhnke an dem Haltegriff fest, den er endlich über der Beifahrertür in die Finger bekommen hatte.

»Hatten Sie schon einmal einen Unfall?«, fragte er voller Sorge. Seine Hoffnung, durch seine Frage Hans-Joachim zu einer mäßigeren Geschwindigkeit zu bewegen, erfüllte sich nicht.

»Mehrere«, erwiderte der Mann ungerührt. »Aber es ist noch immer gut gegangen.« Er klopfte sich mit der Faust gegen den Kopf. »Ehrlich gesagt war es ein paarmal verdammt haarig. Und als ich im letzten Jahr, übrigens unverschuldet, im Korkenzieher von Laguna Seca von der Piste geschossen wurde und mir dabei etliche Knochen und Wirbel gebrochen habe, war es für mich höchste Zeit, meine aktive Karriere im Motorsport zu beenden. Sie wissen ja, den letzten, den tödlichen Unfall sollte man vermeiden.« Er sprach in einer ruhigen und sachlichen Art, die keineswegs zu dem rasanten und nervenaufreibenden Fahrstil passte, mit dem er über den Nürburgring bretterte.

»Sie waren erfolgreich?«

»Ich glaube schon«, meinte Hans-Joachim ziemlich bescheiden. »Ehrlich gesagt, ich glaube, ich habe weit über 100 Rennen während meiner Laufbahn gewonnen. Ich habe sie nicht gezählt und keine Statistik geführt. Vielleicht waren es auch über 200. Na ja, immerhin war ich mehr als drei, fast vier Jahrzehnte auf Tourenwagen und auch in Formel-1-Kisten unterwegs.«

Böhnke hörte mit wachsendem Interesse zu, schaute aber auch auf die abwechslungsreiche Strecke in der fast immergrünen Verpackung. Er hatte sich allmählich an die Geschwindigkeit gewöhnt und fand Gefallen daran, wie sein Fahrer den Wagen durch die Kurven schwingen ließ und auf den Geraden beschleunigte, um nur Sekunden später wegen einer quasi aus dem Nichts auftauchenden Kurve abrupt abzubremsen.

»Macht doch Spaß, oder?«

Böhnke sah keinen Grund zu widersprechen. Mit Hans-Joachim am Steuer auf dem Nürburgring fühlte er sich sicherer als mit seiner Liebsten im zähflüssigen, hektischen Stadtverkehr in Aachen. Aber das würde er ihr selbstverständlich nicht sagen.

»Machen Sie unseren Asphalttanz bloß nicht mit Ihrem

Privatwagen nach«, fuhr Hans-Joachim mahnend fort. »Der überlebt keine Runde, ehrlich gesagt. Ihr Tanz würde, wenn Sie Pech haben, tödlich enden.«

Überleben war das Stichwort für Böhnke. »Kennen Sie die Theberaths?« Für einen von ihnen hatte der Asphalttanz auf dem Nürburgring ein tödliches Ende gehabt.

Auf der Stelle schwand die lausbubenhafte Freude aus Hans-Joachims Gesicht. »Bert war für mich so etwas wie ein Freund. Er hätte fast mein Sohn sein können, na ja, ist etwas übertrieben, aber es hätte so sein können.«

»Und jetzt ist er tot. Rennfahrerschicksal?«

»Kann man so sehen, Herr ... Wenns ein Unfall war, dann war es Rennfahrerschicksal. Sie wissen schon, der letzte Unfall ...«

Böhnke wurde hellhörig. »Wars denn etwa kein Unfall?«

Er erschrak sich, als Hans-Joachim den Sportwagen jäh mit blockierenden Reifen abbremste und auf freier Strecke am Rand anhielt.

»Hier ist die Stelle, an der Bert sterben musste.« Hans-Joachim stieg aus.

»Kommen Sie!«, beschied er knapp.

Böhnke folgte ihm neugierig. Außerhalb des Wagens sah die Landschaft noch schöner und idyllischer aus als hinter der Heckscheibe. Er blickte über welliges Gelände mit saftigen Wiesen auf einem dichten Wald, der sich bergauf bis zum Himmel erstreckte. Auf den Wiesen sorgten bunte Büsche für Farbtupfer. Hinzu kam die Ruhe; eine Ruhe, der er bislang nur in Huppenbroich verspürt hatte. Lediglich die Blätter einiger Buchen jenseits einer Leitplanke rauschten sanft im Wind. Hier störten keine unnatürlichen Geräusche. »Es ist schon ungewöhnlich still«, meinte er und schaute auf die Strecke, die in einer breiten Schneise durch die Natur verlief.

»Bis auf die Rennwagen, die würden Sie stören. Bei Rennen verstehen Sie Ihr eigenes Wort nicht mehr. Dann ist es mit der himmlischen Ruhe vorbei.«

Jenseits der anderen Straßenseite hinter einer breiten Auslaufzone, einer Leitplanke und einem stabilen Drahtzaun erblickte Böhnke einen grünen Hügel.

»Hier ist die Stelle, an der Bert verbrannt ist.« Hans-Joachim schluckte schwer. Er deutete in die Richtung, aus der sie gekommen waren. »Wir fahren hier aus dem Walde den Berg hinunter in der leicht abfallenden Linkskurve, um dahinten wieder hinter der Kuppe im Wald zu verschwinden.« Er hatte sich umgedreht, und zeigt in die Fahrtrichtung.

»Und ausgerechnet hier hatte Bert den Reifenplatzer. Einen ungünstigeren Platz hätte er sich nicht aussuchen können. Warum nicht im Wald vorher oder nachher? Nein, er hat ihn ausgerechnet hier vor allen Leuten.« Hans-Joachim schüttelte ungläubig den Kopf. »Erinnern Sie sich noch an die Stelle, an der Niki Lauda verunglückt ist? Das war weitab von jeglichen Zuschauern.«

Was wollte Hans-Joachim damit andeuten?

Den verständnislosen Blick deutete der Mann richtig. »Wenn es tatsächlich Schüsse gegeben haben sollte, wie ich immer wieder hinter vorgehaltener Hand gehört habe, und nicht Auspuffexplosionen, war das hier eine der Stellen, an der jemand fast unbemerkt schießen konnte. Nur dann ist das im Verlaufe des Rings möglich. Hier bleiben Sie unerkannt, weil Sie in der Masse der Leute untergehen.« Er zeigte auf den Hügel. »Jetzt sieht es hier leer aus. Beim 24-Stunden-Rennen haben Sie hier eine

Menschenwand; Wohnwagen und Wohnmobile zuhauf und eine Stimmung wie auf einem Rummelplatz. Auf den zuschauerfreien Streckenteilen kämen Sie gar nicht dazu, unbemerkt mit einem Gewehr auf einen Rennwagen zu schießen, weil Sie entweder gar keinen Platz finden oder weil Sie sich immer im Bereich irgendeiner Kontrollkamera aufhalten. Hier können Sie untertauchen, vor allem, wenn nach einen vermeintlichen Rennunfall auf der Strecke und unter den Fans das Chaos ausbricht.« Hans-Joachim hatte sich in Rage geredet und wiederholte sich: »Wenn also ein Anschlag die Unfallursache sein könnte, dann hätte er nur hier verübt werden können. Aber ob es so war?« Er hob resignierend die Schultern. »Ich weiß es nicht. Ich habe da meine Zweifel, obwohl angeblich die Polizei meines Wissens nach das Gelände intensiv abgesucht hat und überhaupt nichts Auffälliges gefunden hat.«

Der ehemalige Rennfahrer ging zum Wagen. Böhnke folgte ihm. Schweigend fuhren sie zur Erlebnis-Welt zurück.

19.

Auf der Rückfahrt nach Huppenbroich textete ihn Lieselotte mit Informationen zu, die er gar nicht hören wollte. Aber das merkte sie nicht. Begeistert berichtete sie von der Führung und dem Wissen über den Nürburgring, die sie erhalten hatte. Wenn sie ihre Texte mit der Frage: »Weißt du eigentlich …« begann, dann war er schon bedient. Woher sollte er wissen, was sie glaubte, dass er wissen sollte? Ständig antwortete er in diesen Fällen mit »Nein, ich will es auch nicht wissen«, was sie aber nicht davon abhielt, es ihn doch wissen zu lassen.

»Wusstest du eigentlich, dass der Nürburgring seinen Namen von der Nürburg hat, um den er gebaut ist. Er ist in den 20er-Jahren verwirklicht worden, um Arbeitsmöglichkeiten in der abgeschiedenen Eifel zu schaffen, und wurde 1927 eröffnet.«

Er wusste es, denn er hatte es selbst in der Erlebnis-Welt bei seiner Führung erfahren.

»Die ursprüngliche Strecke, die sogenannte Nordschleife, war einmal rund 25 Kilometer lang und führte kreuz und quer, hoch und runter rund um die Nürburg. Deshalb auch der Name, aber das sagte ich dir ja schon. Jetzt ist die Nordschleife knapp 20 Kilometer lang und die Formel-1-Strecke etwas über fünf.«

Böhnke stöhnte vor sich hin, schaute aus dem Seitenfenster und hoffte, dass sie bald am Hühnerstall ankommen würden. Noch mehr von diesen Informationen, und er würde während der Fahrt aussteigen, nahm er sich grummelnd vor.

»In jedem Jahr kommen fast zwei Millionen Menschen an den Ring. Allein zum 24-Stunden-Rennen und an den drei Tagen beim Formel-1-Rennen werden fast 400.000 Besucher gezählt.«

Mehr als zum CHIO oder in einer Saison zur Alemannia, dachte sich Böhnke. Aber das eine interessierte ihn nicht mehr als das andere.

»Dazu kommen noch die anderen Auto- und Motorradrennen«, fuhr sie unbekümmert fort. »Das 24-Stunden-Rennen gilt übrigens als die meist besuchteste Sportveranstaltung in Deutschland.«

Nicht meist besuchteste, meist besuchte, korrigierte Böhnke im Geist seine Liebste. Sie würde sich ohnehin nicht in ihrem Redefluss aufhalten lassen, wenn er sie laut belehrt hätte.

»In diesem Jahr sollen da 175.000 Fans gewesen sein. Stell dir das mal vor, 175.000 Menschen bei einem einzigen Rennen. Unvorstellbar.«

In der Tat unvorstellbar, dachte sich Böhnke. Wie konnte man sich nur einen Tag und eine Nacht mit permanentem Motorengeräusch um die Ohren schlagen? Das war nicht seine Welt.

Und anscheinend auch nicht die seiner Liebsten. »Ich habe jetzt genug gesehen vom Nürburgring und das reicht mir. Ich muss da nicht noch einmal hin.«

Da schließe ich mich an, hätte Böhnke am liebsten gesagt. Aber dann erinnerte er sich an seinen Gewinn, die beiden VIP-Karten für den Großen Preis von Deutschland der Formel 1 in ein paar Wochen im Sommer. Es war schon eine Sache des Anstands, dass er diese Karten nutzen würde. Er wusste schon, wen er mitnehmen würde, da doch seine Liebste kein Interesse mehr am Nürburgring hatte.

Er rutschte auf seinem Sitz umher und erinnerte sich an den Zettel, den er von Hans-Joachim zum Abschied bekommen hatte. Darauf würde er eine interessante Aussage über den Nürburgring finden, die er im Internet gelesen hatte, hatte der Fahrer gesagt.

Böhnke kramte den Zettel hervor und las über die ›Faszination Grüne Hölle‹. Die Nordschleife war die schönste, längste, anspruchsvollste und meist befahrene Rennstrecke der Welt auf zwei oder vier Rädern. ›Motorsport-Idole wie Rudolf Caracciola, Manfred von Brauchitsch, Hermann Lang, Juan Manuel Fangio oder Graf Berghe von Trips schrieben mit ihren tollkühnen Fahrten hier Geschichte.‹ Jackie Stewart, ein Böhnke ebenfalls nichts sagender Name, hätte das Kurvengeschlängel durch die eindrucksvolle Landschaft der Eifel ehrfurchtsvoll ›Die Grüne Hölle‹ getauft, sei gewissermaßen der Namensgeber. Noch heute übe diese Strecke eine große Faszination aus. ›Mit dem eigenen Auto oder Motorrad die Runden des Nürburgrings zu befahren, ist eine besondere Herausforderung. Die 20,8 km lange Strecke der Nordschleife zu meistern bedeutet, seine Fahrkünste und sich selbst unter hohen Anforderungen immer wieder neu einzuschätzen‹, hatte der Autor des Textes geschrieben. ›Die Nordschleife ist keine moderne Rennstrecke. Unübersichtliche oder uneinsehbare Kurven, blinde, tückische Kuppen, starke Neigungen und Gefälle sowie häufig wechselnde Fahrbahnbeläge und somit Reibwerte machen die Nordschleife zu einer der anspruchsvollsten Herausforderungen für jeden Motorsportfan.‹ Sie gelte gleichzeitig als die wohl schönste Landstraße der Welt. Der entscheidende Vorteil: kein Gegenverkehr, der die Suche nach der Ideallinie stört.

Dieser Auffassung stimmte Böhnke voll und ganz zu.

Und er erwischte sich dabei, dass er langsam, nach diesen Sätzen, die der rasanten Fahrt mit Hans-Joachim über die Strecke nachträglich einen gedanklichen Überbau gaben, sich doch nicht so ganz dem Mythos dieses Platzes entziehen konnte. Ja, so sagte er sich, der Nürburgring, der hat was.

Er werde übrigens wieder mit ihr in die Stadt fahren, informierte er beim Frühstück. »Ich muss noch einige Erkundigungen einholen.«

»Wegen Bahn?«

»Unter anderem wegen Bahn. Aber auch deinetwegen und meinetwegen. Oder glaubst du etwa, ich lasse die Sache mit den aufgeschlitzten Reifen auf sich beruhen?«

»Commissario, was sollte ich bloß ohne dich tun?«, hatte sie gelächelt. »Aber bring mir das Auto bloß heil zur Apotheke zurück. Wohin willst du eigentlich?«

»Ich fahre dahin, wohin du als kleines Kind mit der Tram gefahren bist.«

Ihr reichte die Antwort. »Aber wenn du noch einmal ohne mich Sauerbraten essen gehst, dann ist es aus mit der Autoverleiherei.«

Er würde sie einladen, versprach er. Und: »Ich hole dich gegen halb sieben ab.«

Böhnke war gespannt, was ihn in Vaalserquartier erwarten würde, und er hoffte, dass er nicht wieder vor einem verschlossenen Werkstatttor stehen musste. Warum er ausgerechnet von Anton Theberath eine Auskunft erhalten wollte, konnte er sich rational nicht erklären. Aber diesen Plan hatte er nun einmal gefasst und er würde ihn durchführen. Vielleicht war es das Schicksal von Tünns Bruder, das ihm bei der Fahrt mit Hans-Joachim – ›Asphalttanz‹

hatte er gesagt, und Böhnke würde diesen Begriff nicht vergessen – noch einmal in seiner nicht absolut geklärten Ursache deutlich geworden war.

Er schien Glück zu haben. Als er in die Straße einbog, erblickte er einen Mann, der auf dem Betriebsgelände zwischen den Fahrzeugen umherging. Böhnke stellte den Polo auf den letzten freien Parkplatz vor der Werkstatt ab.

Der Mann, den er nach dem Bild aus der Zeitung als Anton Theberath wiedererkannte, näherte sich langsam. »Entschuldigen Sie, aber wir haben geschlossen.« Er wirkte erschöpft, obwohl er braun gebrannt war. Auch in seiner sauberen, blauen Monteurkluft sah er einem Büroarbeiter ähnlicher als einem Mechaniker, der an einer Autobühne hantierte.

»Wie?« Böhnke sah sich um und deutete auf das offene Tor. »Ich dachte …«

»Da haben Sie falsch gedacht.« Theberath gab sich wenig Mühe, höflich zu sein. »Ich mache nur klar Schiff.«

Er sei schon einmal hier gewesen, meinte Böhnke unbeeindruckt, da habe er gelesen, dass wegen Betriebsferien geschlossen sei. »Jetzt wollte ich bei Ihnen einen Ölwechsel machen lassen.«

»Ölwechsel?« Theberath lachte auf. »Für einen Ölwechsel kommen Sie zu mir! Sie waren noch nie hier. Ich kenne Sie nicht. Sie wohnen jedenfalls nicht im Dorf. Die kenne ich alle. Also, was wollen Sie von mir?«

Böhnke zauderte nicht. »Ehrlich gesagt bin ich Ihretwegen und wegen Ihres Bruders hier. Ich bin, sagen wir es mal so, mittelbar von dem Unfall Ihres Bruders betroffen. Ein Bekannter von mir fuhr hinter Ihrem Bruder her, als das Unglück passierte.«

Er war gespannt, wie Theberath reagieren würde.

»Pah, Unfall. Dass ich nicht lache. Das ist die offizielle

Version. Aber ich glaube nicht daran.« Theberath ereiferte sich: »Da ist geschossen worden.«

»Wie kommen Sie darauf?« Böhnke war vom Ausbruch des Automechanikers überrascht.

»Wie ich darauf komme? Es ist ja nicht das erste Mal, dass auf uns geschossen wurde. Aber das will ja keiner wissen.« Theberath stapfte in ein Büro, Böhnke lief wie selbstverständlich hinterher.

»Kaffee?«, fragte der Mann, machte sich an einem Automaten in einer kleinen Küchenzeile zu schaffen und gab Böhnke ein Zeichen, sich auf den Stuhl vor einem überladenen Schreibtisch zu setzen.

»Was niemand wissen will bei uns in Deutschland, ist, dass es beim Langstreckenrennen in Spa schon einmal einen Anschlag gab. Da habe ich am Steuer gesessen.« Er servierte den Kaffee in ehemals weißen Henkelbechern und ließ sich in den Schreibtischsessel sinken. »Ich glaube sogar, dass ich auf dem Nürburgring das Opfer sein sollte.«

Er begegnete Böhnkes erstaunten Blick.

»Wie ich dazu komme, wollen Sie bestimmt wissen. Ganz einfach. Nach unserer ursprünglichen Planung sollte ich zu diesem Zeitpunkt das Rennen bestreiten. Erst unmittelbar vor dem Start haben wir die Reihenfolge geändert. Bert ist gestartet und ich sollte den dritten Turn übernehmen. Die Rennleitung hat unseren Wechsel nicht mitbekommen. Deshalb war die Starterliste auch nicht aktualisiert. Niemand wusste, dass mein Bruder fuhr. Alle mussten glauben, dass ich auf der Strecke wäre. Na ja«, er stierte traurig in die braune Brühe, die Böhnke nur schwerlich an Kaffee erinnerte.

»Jetzt ist Bert tot und ich lebe.«

»Was wollen Sie jetzt machen?«, fragte Böhnke nach einer kurzen Pause, die er anstandshalber eingehalten hatte.

Theberath langte nach einem Schild in einem Regal hinter sich. »Wegen Trauerfall bis auf Weiteres geschlossen«, las Böhnke laut.

»Es muss eigentlich ›auf Dauer‹ heißen«, fuhr Theberath leise fort. »Ohne Bert habe ich keine Lust mehr. Und Lissi, meine Schwägerin, will auch nicht mehr mitmachen.« Er lächelte verkniffen. »Braucht sie ja auch nicht. Sie hat ja die eine Hälfte vom Haus und eine üppige Lebensversicherung. Da hat sie ausgesorgt.« Beschwichtigend hob er die Hände, wobei ihm beinahe der Kaffee aus dem Becher schwappte. »Nicht, dass Sie die falschen Schlüsse ziehen. Lissi ist in Ordnung. Aber sie hat jetzt keine Kraft mehr und nach Berts Tod die Lust für den Betrieb verloren. Und was dann wird ...« Theberath sah Böhnke mit betrübtem Blick an. »Ich weiß es nicht.«

Böhnke beobachtete den Mann, der aus der Nähe weitaus älter aussah, als er nach dem Bild war. Jetzt erschien er ihm eher Mitte 40 und nicht Mitte 30 zu sein, ein gebrochener, trauernder Mann in einem adretten, blauen Arbeitskittel.

Böhnke wollte die Unterbrechung nicht zu lange dauern lassen. Solange Theberath redete, bekam er Auskünfte. Sie zu gewichten oder zu ordnen, das würde er später in aller Ruhe bei einem Spaziergang in Huppenbroich machen.

»Sie sprachen davon, dass Sie der dritte Fahrer sein wollten. Wer sollte denn der zweite sein?«

»Na, wer schon? Wolle, unser Mitarbeiter, natürlich. Wir bilden schon seit ein paar Jahren ein eingespieltes Team.«

»Und wo ist Wolle jetzt?«

Theberath zuckte mit den Schultern. »Ich weiß es nicht. Er ist nach den Betriebsferien nicht zurück in der Werkstatt gekommen. Er hat sich nicht gemeldet und hat auch nicht gekündigt. Keine Ahnung, wo der steckt. Dabei ist er normalerweise sehr pünktlich und gewissenhaft. Ich befürchte, es ist ihm im Urlaub etwas zugestoßen.«

»Wo Wolle seinen Urlaub verbringen wollte, wissen Sie nicht?«

»Er fährt immer auf gut Glück los und bleibt dort, wo es ihm gefällt, für ein paar Tage, ehe er weiterfährt. So war es jedenfalls bisher.«

Zaghaft klopfte es an der Tür. Böhnke erblickte eine junge Frau, die, dunkel gekleidet, in das Büro eintrat.

»Entschuldigung. Ich wollte nicht stören«, sagte sie mit tonloser Stimme. Sie wirkte abwesend und schien Böhnke gar nicht wahrzunehmen. »Ich habe nur einen Anruf von Zickmann bekommen. Er wollte wissen, ob du ihm die Werkstatt verkaufen würdest. Ich habe ihm gesagt, dass du zurückrufst.«

Böhnke war es fast schon peinlich, in diese private Szenerie hineingeraten zu sein. Er räusperte sich. »Ich glaube, es ist besser, wenn ich jetzt gehe.« Er reichte Theberath die Hand. »Wenn es Ihnen recht ist, werde ich mich um den Unfall oder den Nicht-Unfall Ihres Bruders kümmern.«

»Sind Sie von der Polizei?«, fragte die Frau erschrocken.

»Nein. Nicht mehr. Ich war einmal bei der Polizei, bin aber längst im Ruhestand. Ihr Schwager hat mir einige Hinweise gegeben, die mich nachdenklich haben werden lassen. Und ich möchte der Sache auf den Grund gehen.«

»Gerne«, sagte Theberath schnell. »Ich habe nichts dagegen. Im Gegenteil. Es ist gut, wenn die Wahrheit ans Licht kommt.«

»So wie in Spa bei Bellof?«

Theberath stutzte. »Ich möchte nicht wissen, was Sie

damit meinen. Da will ich mir den Mund nicht verbrennen. Wissen Sie, welchen Spruch man sagt wegen dieses Unfalls: Das war nix, das ist ein Satz mit X.«

Nun musste Böhnke einräumen, dass er rein gar nichts verstand.

»Macht nichts. Das ändert nichts am Tod von Bellof in Spa und am Tod meines Bruders auf dem Ring. Die Wahrheit ist schwer herauszufinden.« Er begleitete Böhnke zum Polo.

»Übrigens«, Böhnke wandte sich noch einmal um, nachdem er die Autotür aufgeschlossen hatte, »könnten Sie anhand des Autokennzeichens prüfen, wem der Wagen gehört?«

Theberath schien nachzudenken, während er den Polo umrundete. »Im Prinzip kein Problem«, sagte er schließlich. »Ein Anruf beim Straßenverkehrsamt und dort den richtigen Mann an der Strippe, dann bekommt man die Auskunft. Ist in gewisser Hinsicht auch manchmal Selbstschutz von Werkstätten, wenn jemand ohne Autopapiere zu einer teuren Reparatur kommt. Man will ja wissen, ob der Name stimmt, den der Kunde einem sagt. Für unseren Betrieb aber uninteressant, weil wir nur Spezialaufträge für Rennfahrer erledigen.« Er schmunzelte. »Ihr Wagen ist übrigens in der Stadt Aachen zugelassen.«

Böhnke war verblüfft.

»Ist keine Hexerei«, erklärte Theberath. »Ihr Kennzeichen hat nach dem AC nur noch einen Buchstaben, alle Kommunen im Kreis Aachen außer der Stadt Aachen haben zwei.«

Jetzt reichte er Böhnke die Hand. »War schön, mit Ihnen zu sprechen. Ich wünsche Ihnen viel Glück.«

20.

Er erwäge ernsthaft eine Geschlechtsumwandlung und ziehe auch eine Namensänderung in Betracht. »Helma hört sich doch auch gut an«, feixte Bahn. »Aber eigentlich müsste ich mich Christel nennen.« Herzlich begrüßte er Böhnke.

Zeitgleich waren sie am Hühnerstall angekommen, er mit dem Wagen aus Düren, Böhnke nach seinem Spaziergang durch den Ort.

»Sie sollten besser den Beruf wechseln und Briefträger werden«, meinte Böhnke und deutete auf den Umschlag, den sich der Journalist unter den linken Arm geklemmt hatte. Bahn hatte morgens seinen Besuch angekündigt, Böhnke sich auf den Besuch vorbereitet und Kuchen besorgt.

»Was gibt es denn Neues?«, fragte er, während er in der Küche hantierte. »Von Ihrem Drohbriefeschreiber oder so.«

»Nichts und etwas«, antwortete Bahn. Er hatte auf der Terrasse Platz genommen und beobachtete fasziniert durch das offene Küchenfenster Böhnkes hausmännische Fertigkeiten. »Sie brühen ja Kaffee wie ein Profi«, sagte er anerkennend, »bei mir reichts nur für lösliches Zeug.«

Endlich kam er zum Thema.

»Um es klarzumachen, in den letzten Tagen hat es keinen neuen Drohbrief gegeben und auch keine Auffälligkeiten in meinem Umfeld.« Bahn reckte sich in dem Gartenstuhl. »Die Kerle haben das Interesse an mir verloren, glaube ich.«

»Und mich und meine Frau dafür ins Visier genommen«, knurrte Böhnke, der das beladene Tablett auf dem kleinen Tisch abstellte.

»Dann bin ich ja aus dem Schneider. Ach, was ist das Leben schön!«, entgegnete Bahn ironisch. »Ich glaube inzwischen zwar auch schon, dass es auf dem Nürburgring keinen Anschlag auf mich gegeben hat. Aber damit ist noch nicht geklärt, wer mich warum verprügelt hat und wer mir warum die Liebesbriefe geschrieben hat.«

Böhnke schwieg dazu. Er hätte das Problem ausweiten können: Und wir wissen nicht, ob das nicht doch mit dem Tod von Theberath auf dem Nürburgring zusammenhängt.

Aber er schwieg und behielt diese Überlegungen für sich. Er glaubte nicht, dass ihm Bahn bei dieser Frage tatsächlich weiterhelfen konnte.

»Sie sind aber nicht nach Huppenbroich gekommen, um mit mir über das Ausbleiben neuer Drohschreiben zu reden.« Langsam war es an der Zeit, auf den Punkt zu kommen, den sein Besucher in dem Telefonat als sensationell und absolut spannend bezeichnet hatte. Wenn er den Briefumschlag betrachtete, den Bahn mitgebracht hatte, konnte es im Prinzip nur neue Informationen von Siggi geben.

»Richtig«, bestätigte Bahn. »Ich habe hier Post aus der Schnee-Eifel von meinem Kollegen, der mich ausdrücklich darum gebeten hat, sie auch Ihnen zu geben und mit Ihnen darüber zu diskutieren. Falls es überhaupt etwas zu diskutieren gibt«, schränkte er vorsorglich ein. »Denn ich weiß nicht, was das mit mir, mit Ihnen oder mit uns zu tun haben soll.«

Wenn die Mitteilung von Siggi so unwichtig war, wieso

hatte Bahn sie als sensationell und absolut spannend angepriesen, fragte sich Böhnke, schwieg aber.

»Her mit dem Zeug«, forderte er endlich. »Was hat dieser Superjournalist aus der Schnee-Eifel für uns?« Böhnke hatte entschlossen Kaffeetasse und Kuchenteller abgestellt und schaute erwartungsvoll auf Bahn.

Der Journalist ließ sich nicht lange bitten und zog aus dem Umschlag mehrere Blätter. »Das sind Kopien von Zeitungsartikeln und Analysen von Siggi. Er meint, sie könnten uns interessieren. Er habe seinen Teil getan, für den Rest sei er nicht zuständig, weil es nicht in sein Jagdrevier falle.«

Die Blätter waren nummeriert. Auf dem beiliegenden Schreiben hatte Siggi geraten, die Blätter in der richtigen Reihenfolge zu lesen.

Das erste Blatt trug die Kopie einer kleinen Zeitungsberichts. Kurz und knapp wurde darin geschildert, dass im Schilfgürtel des Schalkenmehrener Maars eine Leiche gefunden worden war. Es handelte sich bei dem Toten um einen Mann zwischen 30 und 50. Nähere Einzelheiten wollte die Polizei am nächsten Tag mitteilen. Unter der Meldung stand das Kürzel si.

Wahrscheinlich das Kürzel von Siggi, wie Böhnke vermutete.

Auf Blatt Nummer zwei fand sich die Kopie eines großen Artikels, der mit einem Bild des Maars verbunden war. Die Leiche sei durch Zufall von Spaziergängern gefunden worden, berichtete Siggi. Bei dem Toten handele es sich um einen Mann, der in Aachen gemeldet war. Nach dem Personalausweis, den er bei sich trug, handelte es sich um einen gewissen Wolfgang Sch. Der Tote müsse, so das erste Ergebnis der medizinischen Untersuchung, wohl mehrere Wochen im Wasser gelegen haben. Eine Vermisstenmeldung habe es nicht gegeben. Auch sei in keinem Hotel in der Vulkaneifel ein Wolfgang Sch. aus Aachen als Gast registriert. Die weitere Recherche habe ergeben, dass der Tote offenbar im benachbarten Belgien in einem kleinen Ort in den Ardennen Urlaub gemacht hatte. Dort sei er als Gast bekannt gewesen, der gerne zu viel trank und dann ausfallend wurde. Offenbar war ihm seine Trunksucht zum Verhängnis geworden. Er hätte den Urlaub allein angetreten, allerdings häufiger wechselnden Damenbesuch erhalten.

Als Notiz hatte Siggi am Rand des Artikels ›Hobbynutten‹ geschrieben.

In dem Artikel, der auf dem dritten Blatt kopiert war, stellte Siggi neue Erkenntnisse dar, die er gesammelt hatte.

»Der ist gut«, meinte Böhnke anerkennend nach dem ersten Lesen. »Woher weiß der das alles?«

»Der ist nicht besser als ich!«, schnaubte Bahn. »Der ist höchstens genauso gut wie ich. Aber nur, wenn ich ihm wohlgesonnen sein sollte. Ist doch klar, woher er die Informationen hat. Die bekommt er von seinen Freunden bei der Polizei, der Feuerwehr, den Hotelbesitzern und Kneipiers gesteckt und von seinen Lesern. Der braucht dann die Infos alle nur noch zusammenfügen. Sie können sich gar nicht vorstellen, wie viel die Leser wissen und wie mitteilungsbedürftig sie sind, wenn man mit ihnen bekannt ist. Und Siggi ist da unten zwischen matschigem Schnee und schlafenden Vulkanen bekannt wie ein bunter Hund.«

Böhnke glaubte, aus Bahns Lob ein wenig Neid herauszuhören, konzentrierte sich aber wieder auf den Artikel.

Danach hatte Wolfgang Sch., von seinen Freunden ›Wolle‹ genannt, mit einer jungen Frau, wieder hatte Siggi ›Hobbynutte‹ an den Rand geschrieben, an einem Wochenende Schalkenmehren besucht. Die beiden hätten sich beim Schützenfest köstlich amüsiert. In einer Schießbude hätte Wolle für seine Urlaubsbekanntschaft sämtliche Preise abgeräumt. Am nächsten Tag habe er am Wettbewerb der Schützenbruderschaft teilgenommen und beim Preisschießen den Hauptpreis erzielt: ein Gutschein für eine 14-tägige Reise für zwei Personen nach Mallorca. Wolle habe, so schrieb Siggi, seinen Erfolg ausgiebig gefeiert. Er soll am Abend allein durch den Ort und entlang des Maars torkelnd gesehen worden sein. Dazu bemerkte Siggi am Rand: ›Die Hobbynutte aus Belgien ist wahrscheinlich abgehauen.‹ Und: ›Wolfgang Sch. steht für Wolfgang Schulz.‹ Wolle war wohl unbemerkt ins Wasser gefallen und ertrunken. Es gab jedenfalls keine Hinweise auf eine Fremdeinwirkung. Dies sei auch durch die Obduktion in der Gerichtsmedizin festgestellt worden.

Das nächste Blatt enthielt einen kleinen Beisteller, der zu dem großen Artikel auf dem vorherigen gehörte. Darin schrieb Siggi, es hätte sich inzwischen bestätigt, dass es sich bei dem Toten um Wolfgang, genannt Wolle, Sch. aus Aachen handele. Der 36-Jährige sei als Kfz-Mechaniker in einer Autowerkstatt im Aachener Stadtteil Vaalserquartier angestellt, die auf das Tuning von Tourenwagen im Automobilrennsport spezialisiert sei und in Rennfahrerkreisen einen guten Ruf genieße. Tragisch sei, dass nur kurze Zeit vorher der Chef von Wolle Sch. während eines Rennens auf dem Nürburgring auf furchtbare Art und Weise bei einem Unfall ums Leben gekommen sei. Wolle Sch. war ledig, kinderlos und arbeitete schon seit einigen Jahren in der Autowerkstatt.

Auf dem letzten Blatt hatte Siggi seine persönliche Einschätzung und weitere Recherche-Ergebnisse aufgeschrieben:

›Wenn ihr mich fragt, so glaube ich, dass der Typ tatsächlich mit besoffenem Kopp in das Maar gefallen und abgesoffen ist.

Wie ich herausbekommen habe, hatte der Laden der Theberaths Betriebsferien und ist Schulz allein in Urlaub gefahren. In Hotels in Belgien und Luxemburg ist er abgestiegen. Dort hat er die Nächte meistens mit Frauen verbracht, die er vor Ort über Kontaktanzeigen gebucht hatte. Er hat auch beim Schützenfest in Schalkenmehren eine Frau an seiner Seite gehabt, mit der er am ersten Abend zurück nach Belgien gefahren ist. Ob er auch beim Preisschießen mit der Perle in Schalkenmehren war und wo sie dann eventuell nach dem Preisschießen abgeblieben ist, war nicht herauszufinden. Was mit ihr ist, kann niemand konkret sagen. Es gibt da zu viele unterschiedliche Aussagen. Der Gutschein über die Reise ist unauffindbar, vermutlich hat er sich in dem Maar aufgelöst. Für euch da oben am Ende der Welt ist die Geschichte damit vielleicht noch nicht zu Ende. Ihr könntet ja noch ein wenig nachhaken (vergesst das Infohonorar für mich nicht). Ich jedenfalls bin jetzt raus aus dem Spiel. Wenn ich wild spekulieren würde, wie mein oft zu forscher Kollege Bahn aus der Sackeifel (sprich Düren), könnte ich behaupten, dass mein Freund Helmut nicht mehr belästigt worden ist, seitdem Schulz tot ist. Aber ich spekuliere nicht und wünsche euch frohes Schaffen.‹

»Das ist ein Blödmann. Der hat keinen blassen Schimmer!«, keifte Bahn. »Schulz ist seit Wochen tot, und wenn die Daten stimmen, war er wahrscheinlich schon tot, als ich den Knüppel über den Schädel gezogen bekommen habe. Oder sehen Sie das anders?« Nachdenklich betrachtete Bahn den pensionierten Kommissar.

»Der will uns foppen«, antwortete Böhnke. »Ich finde es nur gut zu wissen, dass sich das Schicksal von Wolle Schulz geklärt hat. Ich wundere mich nur, dass Anton Theberath von dem Tod seines Angestellten nichts gewusst haben soll. Er muss doch informiert worden sein. Oder?«

»Ich weiß es nicht. Ich habe doch nicht mit ihm gesprochen.« Bahn zuckte verständnislos mit den Schultern. »Sie können ja noch einmal dorthin fahren und ihn fragen«, schlug er vor.

Warum? Ändert das was? Er hatte festgestellt, dass Bahn nicht mehr in der Schusslinie stand und die Schüsse auf dem Nürburgring nicht ihm gegolten hatten. Damit war der Fall im Prinzip geklärt.

»Im Prinzip schon«, pflichtete ihm Bahn bei. »Aber ich habe noch einige Fragen, auf die ich gerne Antworten hätte, beziehungsweise, ich sehe einen Haken an der Geschichte, den ich unbedingt noch geradebiegen möchte. Vorher habe ich keine Ruhe.«

»Und das wäre?« Böhnke hatte selbstverständlich auch noch offene Fragen, aber er wollte zunächst wissen, was der andere meinte.

»Laut Siggi ist Schulz wohl ein verdammt guter Schütze gewesen. Auf dem Nürburgring wurde auf rasende Autos scharf geschossen und es wurde auch getroffen. Kann es nicht sein, dass Schulz auch dort während des Rennens geschossen hat?«

Und auch in Spa, ergänzte Böhnke für sich. Aber was brachte es, darauf eine Antwort zu finden? Theberath war tot, der andere Theberath hatte zweimal Glück gehabt, einmal in Spa, als er im Rennen fuhr, und einmal auf dem Nürburgring, als er entgegen der Planung kurzfristig den Platz hinter dem Lenker mit seinem Bruder tauschte. Und Schulz war auch tot.

Da blieb ohnehin nur noch Platz für Vermutungen. Beweise gab es nicht.

»Wir klappen die Akte zu«, sagte er entschlossen. »Das Thema ist durch.«

Und dennoch würde er nicht aufhören. Irgendetwas störte ihn, und solange er nicht mit sich selbst im Reinen war, würde er die Sache nicht als erledigt betrachten. Das war er auch seiner Liebsten schuldig, die mit in den Strudel der Ereignisse hineingerissen worden war. Was sprach eigentlich dafür, dass es keine Drohbriefe und keine Drohgebärden oder gar Angriffe mehr geben würde? Vielleicht gab es gar keinen Zusammenhang zwischen Theberaths Tod, dem Tod von Schulz und den Angriffen auf Bahn und seine Apothekerin?

Böhnke reckte sich und schob die Gedanken beiseite. »Wissen Sie was, junger Freund. Jetzt lade ich Sie einmal ein. Schauen Sie, dass Sie freihaben, wenn das Formel-1-Rennen auf dem Nürburgring stattfindet. Da fahren wir beiden Hübschen nämlich hin. Sie sind für unseren Transport zuständig. Ich habe zwei VIP-Karten.«

21.

Böhnke hatte nicht ahnen können, wie sehr er mit dem Geschenk einer Eintrittskarte Freude bereiten konnte.

Bahn war schier aus dem Häuschen, nachdem er seine erste Überraschung verdaut hatte. Nur stammelnd konnte er sich für das Geschenk bedanken. Freudentränen hatte er in den Augen.

»Sie können sich gar nicht vorstellen, was das für mich bedeutet. Einmal hautnah bei einem Formel-1-Rennen dabei zu sein und dann auch noch hinter die Kulissen blicken zu können, das ist für mich die Erfüllung eines Wunsches, den ich seit meiner Kindheit hege.«

Am liebsten hätte ihm Böhnke auch noch die zweite Karte geschenkt, doch wäre diese Weitergabe gegenüber der Nürburgring-GmbH korrekt gewesen? Immerhin war er der 50.000 Besucher der Erlebnis-Welt gewesen und nicht ein anderer. Da gehörte es sich schon, das Geschenk anzunehmen.

Das Schicksal des ertrunkenen Mechanikers ging ihm nicht aus dem Kopf. Er machte sich bei seinem Spaziergang lange Gedanken. Eine Frage hatte sich gewissermaßen von selbst geklärt, nachdem er Siggis Berichte noch einmal intensiv gelesen hatte. Es hatte einen Grund gehabt, weswegen Theberath ihm bei seinem letzten Besuch nichts über den Tod von Schulz gesagt hatte. Der Tote war erst am Nachmittag des Tages gefunden worden, an dem er in Vaalserquartier gewesen war. Theberath konnte ihm daher nichts anderes mitteilen, als er ihm gesagt hatte.

Böhnke strich diesen Aspekt aus seiner gedanklichen Kramkiste.

Und dennoch. Es interessierte ihn weiter, was es mit Schulz auf sich hatte. Ganz abwegig waren Siggis Gedankengänge nicht gewesen: Schüsse auf die Theberath-Brüder, Gewinn eines Preisschießens beim Schützenfest. Vielleicht gab es eine Verbindung.

Kurzerhand wählte Böhnke nach der Rückkehr zum Hühnerstall eine Rufnummer in Düsseldorf.

Wenn sein Gesprächspartner erstaunt sein sollte, so ließ er es sich dies genauso wenig anmerken wie eine etwaige Freude über den Anruf.

»Böhnke, was willst du?«, brummte Küpper ins Telefon. »Du hast doch garantiert was auf dem Herzen, wenn du mich während meiner Arbeitszeit anrufst.«

»Du meinst, während deines Büroschlafs«, lästerte Böhnke. »Du bist doch auf deine alten Tage zum Sesselfurzer mutiert, alter Freund.«

»Und du zum Anwärter für das goldenen Wanderabzeichen des deutschen Wanderverbandes, wenn es so etwas geben sollte.«

Damit waren die Höflichkeiten ausgetauscht worden.

»Küpper, ich brauche deine Hilfe.«

»Jederzeit«, antwortete der Kriminalrat, erwartungsgemäß mit der prompten Einschränkung: »Soweit es in meiner Macht steht.«

»Es ist nicht viel«, versicherte Böhnke. »Ich möchte dich nur bitten, einmal in eurer Datei nachzuschauen, ob ihr etwas über einen gewissen Wolfgang Schulz, genannt Wolle, habt. Er war Kfz-Mechaniker in einer Werkstatt in Aachen-Vaalserquartier. Ich kann davon ausgehen, dass er auch in Aachen mit Hauptwohnsitz gemeldet ist.«

»Wenns weiter nichts ist«, Küpper schien erleichtert. »Ich dachte, du hättest etwas Schwieriges für mich.«

»Als da wäre?«

»Herauszufinden, wer Bahn zusammengeschlagen hat etwa, oder wer die Drohbriefe geschrieben hat.«

»Wenn du willst, kannst du dich ja auch noch darum kümmern«, schlug Böhnke vor, wissend, dass er sich eine Abfuhr einhandeln würde.

»Da gibt es nichts zu finden«, antwortete Küpper wie erwartet. »Wir können nur hoffen, dass der Mist ein Ende hat.«

Böhnke stimmte ihm schweigend zu.

Auch er hoffte, vornehmlich wegen seiner Frau, dass der Mist aufhörte und dass es beim Aufschlitzen der Reifen blieb. Aber er hatte ein ungutes Gefühl. Er traute der Ruhe der letzten Tage nicht. Auf sein Gefühl konnte er sich üblicherweise verlassen, und er wünschte sich dieses Mal, dass es ihn ausnahmsweise trügen würde.

Er hatte einen letzten Blick auf das Fernsehprogramm geworfen, den Apparat ausgeschaltet und den Weg zum Bett angetreten, als das Klingeln des Telefons die beschauliche Ruhe jäh unterbrach. Die Klingelzeichen kamen ihm aufgeregt und hektisch vor. Manchmal war das Klingeln wohltuend und harmonisch, aber jetzt empfand er es als dringend und unruhig.

Auf sein zögerliches Melden reagierte seine Apothekerin mit einem verängstigten Schreien. »Rudolf-Günther, man hat mich überfallen und wollte mich ausrauben! Jemand hat die Fensterscheibe der Apotheke eingeworfen.«

Augenblicklich wurde Böhnke ruhig und konzentriert, wie immer in Momenten höchster Anspannung schaltete er um auf ein absolutes inneres Gleichgewicht.

»Ein Pflasterstein?«, fragte er sachlich. »Ein Pflasterstein, der in ein Blatt Papier eingewickelt war?«

»Woher weißt du?«, schrie sie zurück. »So war es. Die Mieter über der Apotheke haben mich und die Polizei alarmiert. Wir haben den Stein in der Auslage gefunden.«

»Und was stand auf dem Blatt?«

»Das ist die allerletzte Warnung. Beim nächsten Mal gibt es einen Toten. Hört auf zu schnüffeln.« Sie hustete laut. »Rudolf-Günther, was hat das zu bedeuten?«

»Ich weiß es nicht. Ich kann mir nur vorstellen, dass es einen Zusammenhang mit Bahn gibt. Man will wohl, dass ich mich nicht mehr darum kümmere.« Das Gegenteil würde der Fall sein. Wie konnten die Idioten nur so dumm sein, Lieselotte in die Sache hineinzuziehen? Dadurch würde er doch noch mehr angetrieben, die Angelegenheit zu klären. Oder? Langsam keimte in ihm eine ganz andere Überlegung. Aber es war zu früh, darüber zu reden.

»Soll ich kommen?«, fragte er. »Ich könnte unsere Nachbarn fragen, ob sie mir ein Auto leihen, oder ein Taxi nehmen.«

»Bleib, wo du bist. Ich bin über Nacht in der Apotheke und passe auf, dass mir niemand etwas aus den Medikamentenschränken klaut. Und ich habe eine Bewachung durch die Polizei. Da wird mir nichts passieren.« Sie beruhigte sich langsam. »Ich wollte dir nur Bescheid geben.«

Schön, dachte er sich, das hätte dann auch noch Zeit bis morgen gehabt. Dann hätte er wenigstens ruhig schlafen können. Aber so würde er sich das Gehirn zermartern und wahrscheinlich zu keinem Ergebnis kommen.

»Wann ist es denn genau passiert?«, fragte er.

»Eben, vor einer knappen halben Stunde, denke ich mal.«

Kaum hatten sie das unerfreuliche Gespräch beendet, meldete sich das Telefon erneut, wieder hektisch, wieder nervend, wieder drängend.

»Was ist noch?«, fragte Böhnke, davon ausgehend, sie hätte noch etwas auf dem Herzen.

»Was ist, fragen Sie«, hörte er die aufgeregte Stimme von Bahn. »Was ist wohl? Ich habe eben einen neuen Liebesbeweis bekommen. Sie glauben es kaum.«

»Doch«, entgegnete Böhnke knapp. Er war wieder die Ruhe selbst. »Sie haben eine demolierte Fensterscheibe, weil jemand einen Pflasterstein hineingeworfen hat.«

»Woher wissen Sie?« Bahn war verblüfft.

»Ich ahne es, weil Sie nicht der Einzige sind, der heute Steinpost erhalten hat. Ihr Stein war in Papier eingepackt, auf dem wohl sinngemäß gestanden hat, dies sei die allerletzte Warnung, beim nächsten Mal gäbe es einen Toten. Und die Forderung, mit dem Schnüffeln aufzuhören.«

Das Erstaunen machte Bahn sprachlos. »Woher wissen Sie?«, fragte er erneut und erfuhr von der Geschichte in Aachen.

Eine Frage habe er noch, meinte Böhnke: »Wann ist das passiert?«

»Vor knapp eineinhalb Stunden. Ich war gar nicht zu Hause. Nachbarn haben die Polizei alarmiert«, antwortete der Journalist. »Ich habe Sie sofort angerufen, aber Sie führen ja immer Dauergespräche.« Er würde die Nacht in der Küche verbringen. »Das fehlt mir noch, dass mir jemand etwas klaut«, schimpfte er. »Schlafen Sie gut.«

Daran war zunächst nicht zu denken. Böhnke versuchte, objektiv Fakten zu sortieren. Es gab zwei: die Pflastersteine mit der identischen Drohung und der zeitliche Aspekt; erst Bahn und eine Stunde später seine Liebste. Warum diese

Reihenfolge? Hätte es nicht auch umgekehrt sein können? Ließ die Reihenfolge Schlüsse auf den Steinewerfer zu? Dass es sich um ein und dieselbe Person handeln würde, war wohl wegen des gleichlautenden Textes und der Vorgehensweise anzunehmen.

Ich glaube schon, sagte er sich, und langsam, ganz langsam glaubte er, den Vorhang lüften zu können, hinter dem sich das Drama abspielte. Noch war es zu früh, offensiv zu werden. Das Puzzle hatte noch mehr leere Stellen als zusammengefügte Teile. Aber Böhnke ahnte den Inhalt des Bildes, das vor seinen Augen an Kontur gewann.

Gespannt war er darauf, ob die Puzzlesteine, die ihm Küpper liefern wollte, ins Bild passen würden. Viel zu lange dauerte es für ihn, bis sich der frühere Weggefährte endlich meldete.

»Böhnke, wen hast du denn da wieder ausgegraben«, sagte der Kriminalrat nach der kurzen Begrüßung durchaus anerkennend. Er habe nicht lange suchen müssen, um fündig zu werden. »Da ist einiges zusammengekommen bei diesem Früchtchen. Großes Bedauern wegen seines Todes wird es wohl nicht geben.«

»Zur Sache, bitte«, brummte Böhnke. »Ich will Fakten, kein Gelaber.«

»Na, gut, ich mache es kurz. Wolfgang Schulz, genannt Wolle, war mehrfach vorbestraft. Er ging wohl gerne auf die Jagd, obwohl er keinen Jagdschein besaß. Und er jagte Wild, obwohl es sich in der Schonzeit befand. Mit anderen Worten: Schulz ist mehrfach wegen Wilderei erwischt und verurteilt worden. Außerdem hat er es mit Alkohol am Steuer nicht so genau genommen. Mehrfach hat er Verkehrsunfälle im volltrunkenen Zustand verursacht, weshalb er häufiger schon auf seinen Lappen verzichten und zum Idiotentest musste. Erst, seitdem er bei den Theberaths in Arbeit und Lohn stand, hat er sich nichts mehr zuschulden kommen lassen.«

Vielleicht lag es ja auch nur daran, dass er Glück gehabt hatte, dachte sich Böhnke seinen Teil. »Seit wann war er denn bei Theberaths beschäftigt?«

»Seit knapp sechs Jahren. Er hatte wohl seine Einstellung dem jüngeren der beiden Brüder zu verdanken. Die beiden kannten sich aus der gemeinsamen Zeit bei der Bundeswehr. Anton Theberath hatte nach zweijähriger Dienstzeit zurück ins zivile Leben gefunden, Schulz ist beim Militär geblieben und wollte wohl nach seiner Ausbildung zum Kfz-Mechaniker Berufssoldat werden, aber dann ist ihm sein Lebenswandel zum Verhängnis geworden.« Küpper atmete durch. »Bevor du mich jetzt fragst, was das mit der Wilderei zu tun hat, erzähle ich dir lieber sofort den Rest meiner Erkenntnisse. Also, Schulz war beim Militär zum Scharfschützen ausgebildet worden und hat dann wohl auf alles Vierbeinige geschossen, das nicht schnell genug durch den Wald lief. Er wurde jedenfalls unehrenhaft entlassen. Und mit seinem Abgang verbuchte die Bundeswehr auch den Verlust eines Spezialgewehres samt Munition. Aber niemand konnte ihm nachweisen, dass er die Waffe gestohlen hatte, obwohl das naheliegend ist. Sie wurde nie mehr gefunden. Mehrfach hat er danach seinen Wohnort gewechselt. Einige Zeit lebte Schulz quasi in den Tag hinein mit Wilderei, übrigens mit einem normalen, gestohlenen Jagdgewehr und Sauferei. Er hat sich erst besonnen, als er verdammt knapp vor einer langjährigen Haftstrafe stand und ihm der dauerhafte Verlust des Führerscheins drohte. Da musste ihm die Anstellung bei Theberaths fast wie ein Sechser im Lotto vorgekommen sein. Warum die Theberaths ihn angestellt hatten, kann ich dir nicht sagen. Das müsstest du selbst herausfinden, wenn es dich interessieren sollte.«

Interessierte es ihn tatsächlich? Böhnke war sich unschlüssig. Schulz war tot. Die Bedrohung seiner Liebsten und von Bahn ging weiter. Mit den Drohbriefen konnte er nicht in Zusammenhang gebracht werden, wenigstens beim letzten konnte er unmöglich beteiligt gewesen sein.

»Noch etwas zu Schulz. Der letzte Stand der Dinge, bevor er in der Ewigkeit verschwand: Ich habe selbstredend auch Einblicke in die Obduktionsergebnisse bekommen. Für die Mediziner ist es eindeutig, dass er im besoffenen Zustand ertrunken ist. Es gibt keinerlei Hinweise, dass irgendwer irgendwie nachgeholfen haben könnte.«

»Also ein Unfalltod?«

»Einwandfrei ein Unfalltod. Wahrscheinlich am Ufer entlanggetorkelt und dabei ins Wasser gefallen.«

22.

Mittendrin aufzuhören, das war nun wirklich nicht sein Ding. Er würde nichts unversucht lassen, um herauszufinden, wer hinter den Drohgebärden steckte. Die Anschläge hatten sicherlich ihm gegolten. Nur zu warten, ob und wie der oder die Unbekannten weitermachen würden, war ihm zu wenig. Vor allem wollte er wissen, warum dies alles geschah. »Ich lasse mich nicht aufhalten«, sagte Böhnke laut zu sich, als er durch sein Huppenbroich spazierte. Vielleicht war es ja wieder an der Zeit, sich ein wenig intensiver mit Krupp zu beschäftigen, der sich erstaunlich ruhig verhielt, obwohl er doch angeblich an einer großen Sache arbeitete, und der von Böhnke sogar Unterstützung erbeten hatte.

Nur beiläufig nahm er den Mann wahr, der anscheinend trauernd auf einer Bank auf dem Friedhof saß. Er hatte ihn noch nie im Dorf, geschweige denn an diesem ruhigen Ort gesehen.

Er schob die flüchtige Beobachtung achtlos beiseite und widmete sich seinen eigenen Problemen. Wer steckte hinter den Bedrohungen? Langsam entwickelte er seinen Plan, aufbauend auf seinem bruchstückhaften Puzzle. Und zu diesem Puzzle gehörten, wenn auch in einer noch nicht bekannten Konstellation, die Theberath-Brüder und deren Umfeld. Dabei war die Wahrscheinlichkeit nicht unbedingt groß, dass er in diesem Bereich einen Ansatz zur Antwort auf sein Problem finden würde. Aber es war wenigstens etwas, woran er sich klammern konnte.

Und so war es für ihn selbstverständlich, dass er erneut um die Überlassung des Polos bat.

Sie zauderte nicht. »Wenn du mit deinen Ermittlungen dem Spuk ein Ende bereiten kannst, bevor er richtig beginnt, dann kannst du von mir aus das Auto jeden Tag haben«, meinte Lieselotte. Anscheinend war ihr der Anschlag auf die Apotheke doch nähergegangen, als sie Böhnke hatte spüren lassen. Am Wochenende in Huppenbroich hatte sie den Eindruck erweckt, als hätte sie den Steinwurf in das Geschäft ohne psychische Nachwirkungen verarbeitet.

»Commissario, du kannst das Auto haben, aber nur, wenn du mit mir Sauerbraten essen gehst«, hatte sie mehr im Scherz verlangt. Sie ahnte wohl, dass er wieder nach Vaalserquartier wollte. Warum und weshalb auch immer.

Kurz hatten sie am Abend darüber diskutiert, ob er seinen jungen Freund, den Rechtsanwalt Tobias Grundler, einschalten sollte. Er hätte es wahrscheinlich auch getan, wenn sie ihm nicht davon abgeraten hätte. »Der hat momentan genug mit sich und seiner wahrscheinlichen Trennung von Sabine zu tun. Der steht irgendwie quer im Wind, hat mir eine Kundin, die in der Kanzlei arbeitet, gesagt. Der kann dir bestimmt nicht helfen und würde dich nur noch zusätzlich mit seinen Problemen belasten. Lass den Jungen draußen vor. Das hilft dir und ihm am meisten.«

Der frühe Morgen war aber nicht der Grund, dass er vor einer verschlossenen Werkstatt stand. Er hätte auch am Mittag oder am Nachmittag kommen können, ohne jemandem auf dem Gelände anzutreffen.

Das Schild im Fenster der Bürotür war eindeutig: ›Wegen Betriebsaufgabe geschlossen‹.

Offenbar hatte Anton Theberath keinen neuen Partner gefunden und sich dazu entschlossen, zumal auch sein Mechaniker nicht mehr lebte.

Böhnke hätte gerne gewusst, welche Gedanken Theberath sich gemacht hatte, als er von Schulz' Tod in Kenntnis gesetzt wurde. Aber er würde es hier nicht mehr erfahren. Unschlüssig stand er auf dem leer gefegten Gelände. Nichts deutete darauf hin, dass hier noch einmal ein Werkstatt-Betrieb aufgenommen werden sollte.

»Da sindse ja widder«, hörte er in seinem Rücken eine Stimme im unverwechselbaren Aachener Singsang.

Als Böhnke sich umdrehte, erkannte Böhnke den Mann, mit dem er in der Imbissstube zusammengesessen hatte.

»Sie müssen wissen, wir wohnen hier, wa«, erklärte der Mann, der wahrscheinlich nicht grundlos eine Hundeleine in der Hand hielt. Momente später kam ein mittelgroßer, schwarzer Mischlingsrüde um die Ecke geschossen, blieb kurz vor seinem Herrchen stehen und rannte wieder davon.

»Der tut nichts. Den kann ich hier laufen lassen, ohne dass was passiert, wa.« Er betrachtete Böhnke ungeniert. »Wollen Sie was von Theberath?«

Wollen sei zu viel gesagt, antwortete Böhnke. Er habe mit Theberath über den Mechaniker Schulz sprechen wollen.

»Der ist tot«, sagte der Hundefreund spontan. »Ist wohl in der Eifel in sonem Maar ersoffen, hab ich gehört, wa.«

»Na ja, der ist tot, und sein Chef hat den Laden wohl dichtgemacht, wie es scheint.«

»So isses, wa.« Der Mann schien bestens informiert über das Geschehen in der Werkstatt. »Der Tünn hat keine Lust mehr, wa. Der sucht immer noch einen Käufer für seinen Betrieb.« Er deutete auf die andere Straßenseite. »Da vorne, das Haus, das hat dem Bert und dem Anton Theberath gehört. Jetzt gehört es Berts Witwe und Tünn. Aber sie wollen beide verkaufen. Ein Makler war auch schon hier, wa.« Er schaute nachdenklich über den Straßenzug, der menschenleer war und trotz der sommerlichen Zeit trist und grau wirkte. »Wer will schon zu uns nach Vaalserquartier ziehen, frage ich Sie.« Er zuckte resignierend mit den Schultern. »Kann ich irgendwie verstehen, dass bei Theberaths Schluss ist, wa.« Er pfiff kurz auf zwei Fingern. Sofort schoss der Hund auf ihn zu und blieb erwartungsvoll vor ihm hocken.

»Gut erzogen«, staunte Böhnke. »Der hört ja aufs Wort.«

»Das muss er auch.« Der Mann sah ihn streng an. »Ich bin der Herr, nicht er. Das muss er wissen. Ich bin sein Leittier, dem er bedenkenlos gehorcht und vertraut, wenn Sie wissen, was ich meine.«

Böhnke lag der zugegeben schlechte Vergleich auf den Lippen. »Und wer war das Leittier bei den Theberaths?«

»Gute Frage.« Der Hundefreund kratzte sich am Kinn. »Zuerst war es Bert, der war ja auch der Ältere, wa. Aber dann, nach seiner Hochzeit mit Lissi, da hatte, glaube ich, sie das Kommando. Wegen ihr wollte Bert ja auch mit dem Autorennen aufhören, wa.«

»Wo finde ich denn Tünn und Lissi, jetzt, wo das Haus leer steht?«

»Das weiß niemand so genau. Die Lissi, die ist mit einem Möbelwagen aus Dortmund weggefahren. Der Tünn soll wohl im Ferienhaus in Renesse an der Nordsee wohnen. So heißt es jedenfalls, wa.« Er bückte sich stöhnend und leinte den geduldigen Mischling an. »So, Cicero, jetzt gehts nach Hause zu Mutti, wa.« Mit einem Kopfnicken verabschiedete er sich und lief die Straße entlang, mit dem Hund an seiner Seite.

Böhnke war unzufrieden mit sich und der Situation. Die Geschichte schien sich doch anders zu entwickeln, als er gedacht hatte. Eine Frage fiel ihm ein, die er dem Hundefreund hätte stellen sollen. Aber nun war es zu spät. Der Mann war längst ums Eck verschwunden.

Er fuhr langsam über die Vaalser Straße zurück in Richtung Innenstadt. Für ein Mittagessen war es zu früh, für einen Feierabend gab es keinen Grund. Als er an der großen Kreuzung der neuen Ringstraßen das Hinweisschild nach Trier las, entschloss er sich spontan: Einen Ausflug in Richtung Trier hatte er seit Ewigkeiten nicht mehr gemacht. Und wer weiß, was ihn in Schalkenmehren erwartete, einem Ort, von dem er bis zum Ableben von Schulz noch nicht einmal gewusst hatte, dass es ihn überhaupt gab.

Langsam suchte er nach einem Parkplatz am Straßenrand. Endlich fand er eine Stelle, an der er sicher und nicht störend im Autoatlas nach dem Dorf Schalkenmehren und der schnellsten Strecke in die Vulkaneifel schauen konnte. Einmal mehr kam ihm der Gedanke, seiner Liebsten ein Navi zu schenken.

Seine Fixpunkte hatte er schnell gefunden und notiert: Monschau, Schleiden, Blankenheim, Hillesheim, Daun, Schalkenmehren.

Böhnke genoss die Fahrt durch die Eifel auf den gut ausgebauten Straßen, erfreute sich an dem zunächst leicht welligen, grünen Gelände, das überging in immer dichteren Wald. Er war erstaunt, wie oft er doch auf eine Höhe hinauffuhr, um dann wieder talwärts zu fahren. Zum ersten Mal in seinem Leben erfuhr er die Eifel, und das gleich im doppelten Sinne. Seine Tour zeigte ihm nicht nur die Größe und den Abwechslungsreichtum des Mittelgebirges, er erfuhr die Eifel nicht nur im tatsächlichen Sinne, er erfuhr sie auch im Sinne von Erfahrung. Es gab viele kleine, beschauliche Ortschaften, so stellte er für sich fest, die würde er noch einmal, wenn die Zeit gegeben war, in aller Ruhe und in Begleitung aufsuchen. Die Eifel war mehr als Bitburg, Gerolstein und Nürburgring, die Eifel, das war vornehmlich Wald, bergiges Gelände, viel Wasser, idyllische Orte und eine enorme Vielfalt.

Mit seinen Gedanken beschäftigt, kam er schneller in Schalkenmehren an, als er gedacht hatte. Er parkte auf einem Platz gegenüber eines Hotels, neben dem es einen Zugang zum Maar gab. Das Maar, eines von vielen in der südlichen Eifel, war der mit Wasser gefüllte Krater eines vielleicht erloschenen oder vielleicht auch nur schlafenden Vulkans. Wie alle, so war auch dieses Maar fast kreisrund. Die oft touristisch erschlossenen Maare waren die Kennzeichen dieses Teils der Eifel, der nicht ohne Grund Vulkaneifel genannt wurde.

Sein kurzer Spaziergang in der angenehm milden Luft durch den kleinen und sauberen Ort mit den vielen Ferienwohnungen und Pensionen endete an dem Hotel, an dem er den Wagen abgestellt hatte. Das Restaurant mit dem vorgelagerten Biergarten lud geradezu zu einem Mittagessen ein, aber er nahm sich zurück. Am Abend sollte es in Aachen Sauerbraten geben, das war er seiner Frau schuldig.

Was hatte er eigentlich in Schalkenmehren zu suchen? Böhnke riss sich zusammen und konzentrierte sich. Wo konnte er etwas über das Schützenfest und das Preisschießen erfahren?

Sein suchender Blick fiel auf einen Schaukasten, der am Rande des Parkplatzes an einer Mauer angebracht war. Über ihm prangte in großen Lettern: ›St.-Hubertus-Schützenbruderschaft Schalkenmehren‹.

Glück muss man haben!, sagte sich Böhnke und schaute interessiert nach, was ihm der Schaukasten wohl bieten könnte.

Was er las, reichte ihm. Der Infostand der Bruderschaft enthielt auch die Adresse des Vorsitzenden und des Geschäftsführers.

Sein Glück schien nur von kurzer Dauer, sein Anruf bei dem Vorsitzenden war nicht von Erfolg gekrönt. Niemand meldete sich. Auch bei seinem zweiten möglichen Gesprächspartner ging niemand ans Telefon. Böhnke wollte schon resignierend seine Versuche beenden, als sich doch noch hechelnd eine Stimme meldete.

»Ja, was ist?«

Mit ruhiger Stimme berichtete Böhnke von seinem Anliegen, nachdem er sich nur mit Namen vorgestellt hatte. »Ich möchte gerne von Ihnen wissen, was sich bei Ihrem Schützenfest, genauer gesagt, bei Ihrem Preisschießen abgespielt hat.«

»Sind Sie von der Presse?«, unterbrach ihn der immer noch atemlose Mann. »Ich kenne Sie nicht, ich kenne nur Siggi. Ich rede nur mit ihm.«

Böhnke beschwichtigte ihn. Er interessiere sich zwar für den Sieger des Schießwettbewerbs, aber nicht aus journalistischen Gründen. Er ermittele wegen einer Lebensversicherung, log er dreist.

»Wie Sie sicher wissen, ist der Sieger des Schießens,

ein gewisser Wolfgang Schulz, tot in dem Maar gefunden worden. Ich bin jetzt auf der Suche nach jemandem, dem ich die Lebensversicherung auszahlen kann. Ich glaube, er war in Begleitung einer Frau hier in Schalkenmehren. Vielleicht ist sie ja mit ihm verwandt oder sie kann uns wenigstens weiterhelfen.«

Viel könne er nicht dazu sagen. Der Geschäftsführer hatte Vertrauen gefasst, war durchaus redselig und auch hilfsbereit. Vielleicht war er auch nur deshalb hilfsbereit, weil er gar nicht helfen konnte.

»Ich kann Ihnen nur mitteilen, dass der Mann alle anderen in Grund und Boden geschossen hat. Wir hatten schon vermutet, dass er ein Profi oder Sportschütze ist. Der war klar besser als alle anderen Teilnehmer des Schießens und hat eine Zehn nach der nächsten geschossen. Aber mehr weiß ich auch nicht über den Mann. Und über seine Begleiterin weiß ich überhaupt nichts. Ich weiß noch nicht einmal, ob sie überhaupt dabei war, als er seinen Hauptgewinn entgegengenommen hat.« Er holte tief Luft. »Na ja, bei einem Schützenfest und diesem Superwetter, da ist man am Sonntagnachmittag nicht unbedingt noch hundertprozentig fit, wenn ich das mal so sagen darf.«

Er durfte, dachte sich Böhnke grinsend. Das letzte Bier war wohl schlecht gewesen. Endlich hatte der Geschäftsführer die Angabe gemacht, die ihm den Übergang erleichterte.

»Der erste Preis, was war das?« Er wusste die Antwort zwar, aber so konnte er ins Gespräch finden.

»Ein Gutschein für eine Reise nach Mallorca für zwei Personen.«

»Aha.« Schulz hatte diese Reise mit tödlicher Sicherheit nicht angetreten, dachte sich Böhnke. Daraus ergab sich der nächste Ansatz: »Wissen Sie denn noch, wer die Reise gestiftet hat oder wo der Gutschein eingelöst werden konnte?«

»Aber sicher doch«, antwortete der Schützenchef. »Ein Reisebüro in Daun war der Spender. Die Frau unseres Brudermeisters, der auch unser Vorsitzender ist, arbeitet dort. Die können Ihnen bestimmt sagen, was mit dem Preis passiert ist.« Er hustete schwer. »Warten Sie, da fällt mir noch was ein. Wir haben im Vorstand darüber geredet. Als wir dem Sieger den Gutschein geben wollten und nach seinem Namen fragten, hat er uns gesagt, wir sollen einen anderen Namen eintragen. Es war der Name einer Frau, habe ich gehört«

»Und wie war ihr Name?«

»Tut mir leid. Das weiß ich nicht. Ich selber war bei der Preisübergabe nicht dabei. Ich musste gerade neue Bierfässer aus Bitburg holen. Es wurde viel mehr getrunken, als wir gedacht und geplant hatten.«

Nur den Namen des Reisebüros in Daun und den Weg dorthin, den könne er nennen, sagte er entgegenkommend.

Böhnke fand Gefallen an seiner Tour durch diesen ihm unbekannten Teil der Eifel. Schnell hatte er den wenige Kilometer langen Weg nach Daun gefunden, sich von der attraktiven Innenstadt überraschen lassen und auch gleich das Reisebüro gefunden.

Seine Frage nach der Frau des Schützenvorsitzenden blieb ohne großen Erfolg. Sie sei mit ihrem Mann verreist, erhielt er als Antwort.

Das hätte ihm auch der Geschäftsführer sagen können, knurrte Böhnke in sich hinein. Aber der Mann hatte wahrscheinlich in typischer Manier gemeint, wenn ich nicht konkret gefragt werde, gebe ich auch keine konkrete Antwort.

Ob man ihm dennoch helfen könne?, fragte die Frau hinter dem vollen Schreibtisch. Sie würde ihm selbstverständlich auch jede Reise verkaufen können, die er wünsche.

Mit ruhigen Worten trug Böhnke sein Interesse vor, bei dem er wieder mit der Suche nach einem vermeintlichen Erbe begann, um bei der Suche nach der Frau zu enden.

»Ich habe gehört, der Reisegutschein Ihres Reisebüros sei auf den Namen der Frau ausgestellt worden. Diese Frau suche ich.«

»Als Erbin?«

»Als womögliche Erbin«, schränkte Böhnke ein. Er hielt den Atem an und hoffte, dass die Frau tatsächlich nachschaute.

Sie hatte sich einem Aktenordner zugewandt, nach dem Blättern in den Seiten einen Namen in den Rechner eingetippt und dann Böhnke angeschaut.

»Hier habe ich die Daten der Frau. Außerdem kann ich Ihnen sagen, dass sie den Gutschein vor ein paar Wochen tatsächlich eingelöst hat. Sie ist nach Mallorca geflogen.«

»Allein?«

»Nein, sie hatte einen Begleiter.«

»Ihr Name und der ihres Begleiters, bitte.«

Die Frau zögerte. »Ich weiß nicht so recht, ob ich Ihnen die Daten so einfach geben darf. Wegen Datenschutz und so.«

Das fehlte ihm noch! Vielleicht kam er dem Ende der Geschichte doch nicht näher, weil er hier von einer übervorsichtigen Reiseverkäuferin ausgebremst wurde. Verflixter Datenschutz! Er dachte kurz nach.

»Wissen Sie was?« Er zückte aus seiner Geldbörse eine der wenigen Visitenkarten, die ihn als Kommissar a. D. aus Huppenbroich auswiesen.

»Ich lasse Ihnen meine Anschrift hier und Sie schicken mir, wenn Sie sich entschieden haben, die Daten zu«, schlug er vor. Lächelnd fügte er hinzu: »Dann kann Ihnen auch niemand nachsagen, Sie hätten mir die Angaben im Reisebüro gegeben.«

Selbst wenn er von der Frau nicht informiert werden sollte, hatte er noch zwei Hintertürchen: Siggi, der Journalist, der sich bestens in diesem Teil der Eifel auskannte, und die örtliche Polizei, die er eventuell aufs Pferd setzen würde mit der Behauptung, die Frau und ihr Reisepartner könnten etwas mit dem Tod von Wolfgang Schulz zu tun haben.

Er verabschiedete sich höflich und machte sich auf die Rückfahrt durch die Eifel.

Er hatte Hunger und er hatte eine Frau, die sauer reagieren würde, wenn er nicht mit ihr am Abend Sauerbraten essen würde.

23.

Er würde Bahn anrufen, damit dieser dank Siggis Hilfe vielleicht an die Namen kam. Böhnke hatte die Hoffnung auf Post aus dem Dauner Reisebüro aufgegeben, als er auch nach einer Woche der Briefkasten leer geblieben war. Die Fahrt zum Formel-1-Rennen würde er nutzen, um Bahn für seine Absicht zu gewinnen. Er hatte mit dem Journalisten telefoniert und vereinbart, mit ihm am Tag des Großen Preises von Deutschland, einem Sonntag, gemeinsam loszufahren.

»Aber nur, wenn ich Sie chauffieren darf«, hatte Bahn scherzhaft gefordert. »Wenn Sie schon die Karten besorgt haben, kann ich wenigstens für den Transport sorgen.«

Ein wenig wunderte sich Böhnke über diese Bemerkung. Er war davon ausgegangen, dass sie diese Regelung schon längst getroffen hatten und es bei ihrem Telefonat nur noch um die Abfahrt ging. Entweder, so dachte er sich, leidet Bahn unter Gedächtnisschwund oder er war doch mehr angespannt wegen der leidigen Attacken, als er zugeben würde. Böhnke war eigentlich davon überzeugt, dass die Zeit der Drohbriefe und Angriffe vorbei war, auch wenn er dafür keine rationale Erklärung abgeben konnte. Die Unbekannten hatten wohl ihre Ziele erreicht, worin sie auch immer bestanden haben sollten.

Die VIP-Karten galten nicht nur für den Tag des Rennens, sondern für das gesamte Wochenende und damit auch für das sogenannte Qualifying, unter dem sich Böhnke nichts vorstellen konnte und wollte.

Bahn hingegen hatte sich am Samstagmorgen nach einem Zwischenstopp in Huppenbroich erwartungsfroh auf den Weg zum Ring gemacht.

Restlos begeistert berichtete er am Sonntagmorgen, als er Böhnke abholte, von seinem Aufenthalt am Vortag.

»Die Rennatmosphäre ist einfach unfassbar und unbeschreiblich«, meinte er aufgedreht. »Sie werden mit den Ohren schlackern, wenn Sie die Boliden sehen. Und das ganze Drumherum, einfach sagenhaft. So etwas haben Sie noch nie erlebt, Herr Böhnke.«

Da gab ihm der Pensionär unumwunden recht, während er sich mühsam in den Opel zwängte, mit dem der Journalist vorgefahren war. So etwas hatte er noch nie gesehen und so etwas würde er wahrscheinlich auch nie gesehen haben, wenn er nicht gewonnen hätte.

Offenbar hatte sich Bahn vom Rennfieber packen lassen, er fuhr ziemlich rasant über die Bundesstraße Richtung Schleiden und nach dem innerörtlichen Nadelöhr weiter zum Nürburgring.

»Ich will früh da sein. Ich möchte noch das Warm-up mitbekommen. Das letzte Aufwärmen vor dem Rennen«, erklärte er auf Böhnkes fragenden Blick. Böhnke hätte viel darum gegeben, jetzt neben Hans-Joachim zu sitzen. Die Fahrt wäre wahrscheinlich noch rasanter gewesen, aber er hätte sich wahrscheinlich auch sicherer gefühlt als neben Bahn, der den Kleinwagen unentwegt knüppelte.

»Es ist quasi der letzte Test für die Motoren und Fahrwerke und für die Piloten die letzte Möglichkeit, sich auf die Strecke einzustellen.« Der Journalist bog zielsicher auf einen Parkplatz ein, zu dem sie durch eine Unterführung gelangt waren und der mit einer Schranke abgegrenzt war.

Böhnke kam es ziemlich leer vor. Er hatte mit mehr Autos und mehr Menschen auf den Straßen und Wegen zum Nürburgring gerechnet.

Der VIP-Ausweis erwies sich als allgemein bestaunter Schrankenöffner. Bahns Wagen, ein angerosteter, in die Jahre gekommener Corsa, passte nicht in den Fuhrpark der erlauchten Ehrengäste. Aber das kümmerte ihn ebenso wenig wie Böhnke, der beim Aussteigen sofort spürte, dass auf dem Nürburgring die Temperaturen trotz der Sommerzeit noch etwas niedriger waren als in Huppenbroich. Dort war es immer schon etwas kälter als in Aachen oder, wie es seine Liebste zu sagen pflegte: »Ich habe in Huppenbroich immer etwas kühler als wie in Aachen.«

Hier in der Höhe kletterten die Temperaturen selbst im Hochsommer selten über 25 Grad, und die gab es heute bestimmt nicht, schätzte Böhnke. Übermäßig warm war es nicht. Er beglückwünschte sich für seinen Entschluss, eine warme Jacke mitgenommen zu haben.

»Kommen Sie!« Bahn drückte aufs Tempo. »Wir müssen zur Boxengasse.«

Den Weg dorthin kannte Böhnke zu Genüge. Durch den Tunnel in das Hauptgebäude und dann in die Boxen, wobei es ihn wunderte, dass sie wieder durch die Unterführung gehen mussten. Er dachte, sie hätten sich schon im Inneren der Rennstrecke befunden, doch da hatte er sich wohl geirrt. Sein Blick zu den Tribünen ließ ihn mit offenem Mund staunen. Jetzt verstand er, warum es auf den Straßen so leer war. Obwohl noch annähernd vier Stunden bis zum Start vergehen würden, waren die Plätze allesamt belegt. In einer undurchdringlichen Menschenmenge klebte ein Körper eng am nächsten. Nationalfahnen und auch andere Flaggen wurden geschwenkt,

Hupen kämpften laut gegen die Lautsprecheransagen an.

»Hier tobt der Bär«, kommentierte Bahn das stimmungsvolle, fröhliche Treiben auf den Tribünen. »So eine Stimmung wie hier finden Sie auf keinem Fußballplatz und auch nicht beim CHIO in der Soers.« Es seien alle Plätze verkauft worden, was insofern erstaunlich sei, da allgemein alle Veranstalter von Formel-1-Rennen mit Zuschauerrückgängen zu kämpfen hatten. »Aber der Ring ist einfach einmalig. Den Mythos Nürburgring erleben Sie nur hier und sonst nirgends«, redete er voller Begeisterung und nicht gerade verständlich. Wo sonst außer am Nürburgring hätte man denn den Mythos Nürburgring erleben können? Böhnke ließ die Belehrung stecken.

»Wo wollen Sie hin?« Er musste sich bemühen, um mit Bahn Schritt halten zu können.

»Zuerst zu unseren Plätzen. Und nach dem Warm-up in die Budenstadt der Rennställe im Fahrerlager. Sie werden sich noch wundern.«

Böhnke kam in der Tat nicht aus dem Staunen heraus. Der Journalist hatte ihn in die oberste Etage des Gebäudes und in einen von einer adretten Hostess kontrollierten Raum geführt. Eine zimmerhohe Glasfront gab den Blick auf die Boxengasse und die Rennstrecke sowie auf die gegenüberliegende Tribüne frei. Bequeme Ledersessel luden geradezu dazu ein, sich zu setzen und entspannt das Treiben unten am Boden zu beobachten. Böhnke staunte über die ziemlich lang gezogenen und überraschend schmalen Rennwagen, die langsam aus den Boxen heraus über die Gasse auf die Strecke fuhren.

»Jetzt beginnt das Aufwärmen?« Eine Antwort auf seine Frage erwartete er nicht, zumal Bahn mit einer der attraktiven, rot gekleideten Frauen sprach, die nach Getränkewünschen gefragt hatte.

22 Rennwagen zählte Böhnke, die allesamt am Ende der Gasse in einer Kurve verschwanden. Es waren nicht einmal zwei Minuten vergangen, da schoss bereits der erste Wagen wieder an ihm vorbei, so schnell, dass Böhnke nicht einmal die Nummer auf dem Gefährt erkannt hatte. In kurzen Abständen raste ein Auto nach dem anderen an ihnen vorbei in einer Geschwindigkeit, die Böhnke nahezu unvorstellbar vorkam. Monitore im Zimmer, in dem sich inzwischen noch ein paar andere Männer eingefunden hatten, zeigten unaufhörlich neue Rundenzeiten an. Langsam gewöhnte sich Böhnke an das Renntempo, doch kaum konnte er dem Geschehen folgen, da fuhren die Boliden auch schon wieder langsam in die Boxengasse und wurden in die Garagen geschoben. Mehr als eine Stunde hatte das Spektakel gedauert, das einen Vorgeschmack auf das eigentliche Rennen gegeben hatte.

»Na«, Bahn strahlte. »Das ist doch toll. Dieser Affenzahn, mit dem die Jungs durch die Gegend tuckern. Einfach gigantisch.« Er rieb sich vergnügt die Hände. »Und beim Rennen, da wird es noch toller. Wer, glauben Sie, wird gewinnen?«

Blöde Frage, dachte sich Böhnke. Der Erste natürlich. Aber er hätte keinen Namen nennen können, weil er keinen kannte. »Keine Ahnung, was meinen Sie denn?« Er heuchelte Interesse, das er niemals für diesen Sport aufbringen würde.

»Ich tippe auf Hamilton vor Vettel und Rosberg. Und Sie?«

»Dann nehme ich Rosberg.« Wer immer das auch sein mochte.

Der elegante, stilvoll möblierte Raum hatte sich wieder geleert. Auch Bahn hielt nichts mehr an dieser Stelle.

»Wie wärs mit einem Bummel durch das Fahrerlager?«, schlug er vor, wobei er unmissverständlich zu verstehen gab, er würde auch ohne Böhnke losziehen.

»Gerne, dann zeigen Sie mir mal das Fahrerlager«, antwortete der Ältere und folgte ihm.

Eher hatte Böhnke sich ein Zeltlager oder einen Parkplatz vorgestellt, als das, was er in und hinter dem Gebäude zu sehen bekam. In den einzelnen Garagen unter den Logen wuselten Mechaniker um die aufgebockten Rennwagen, schraubten, wischten oder schlossen Kabelverbindungen zwischen den Boliden und Computern. Die Reifen waren in schwarze Heizdecken verpackt. Beinahe hätte er im Trubel, der in und vor den Garagen herrschte, einen kleinen, in einer Rennmontur gekleideten Mann übersehen und umgerannt.

»Ich wusste gar nicht, dass Kinder hier hineindürfen«, kommentierte er sein Missgeschick und erntete einen entgeisterten Blick von Bahn.

»Das ist Alonso, den Sie eben beinahe über den Haufen gerannt hätten. Kennen Sie den etwa nicht?«

»Woher?«

»Das ist einer der Superstars in der Szene.«

»So klein und doch so groß«, spöttelte Böhnke. Er beobachtete den kleinen Mann, der aufgeregt mit anderen, auch nicht viel größer gewachsenen Männern diskutierte.

»Sind das etwa alles Zwerge?«

Bahn stöhnte auf. »Sie Ignorant. Das sind alles gestandene Formel-1-Piloten. Die müssen im Prinzip klein und schmächtig sein, sonst passen die nicht in den Boliden. Da ist kein Platz für Riesen.«

Bevor Böhnke zur nächsten, aus Bahns Sicht despektierlichen Äußerung ansetzen konnte, erläuterte er, dass das bei den geschlossenen Tourenwagen anders sei. »Da können auch Normalgroße wie ich mitmachen, die nie und nimmer ins Cockpit eines Formel-1-Renners passen würden. Wie etwa unsere Theberath-Brüder, wenn Sie wissen, was ich meine.«

Böhnke nickte stumm und folgte Bahn, der zielstrebig auf ein stabiles, zweigeschossiges Zelt in einem eingezäunten Bereich zusteuerte.

»Das ist die Anlaufstelle. Da kommt nicht jeder rein. »Es sei denn, man hat eine Einladung von Mercedes oder ist ein VIP.« Er schien stolz auf seinen vorübergehenden Status zu sein.

»Ich schlage vor, wir essen dort ein Häppchen und trinken uns ein Käffchen und ziehen dann weiter zu BMW. Die haben immer bayerische Spezialitäten im Angebot ihrer Küche, Schweinshaxe etwa. Und das Beste, für uns ist alles umsonst. Denn auf dieses Gelände kommen nur die Rennteams, die Pressefuzzis und die Ehrengäste.«

»Gibts auch Audi und Porsche hier?«, fragte Böhnke der Ausgewogenheit willen, er hätte auch noch Opel, Ford und VW nennen können.

Wieder erntete er einen ungläubigen Blick. »Die machen nicht mit im Formel-1-Zirkus, also sind sie auch nicht hier. Herr Böhnke, Sie haben überhaupt keine Ahnung.«

»Sie sprachen eben von der Presse. Ist denn Ihr Kollege Krupp auch hier?« Langsam war es wieder an der Zeit, selbst aktiv zu werden, dachte Böhnke bei sich.

»Warum sollte er?«, blaffte Bahn. »Mit dem bin ich zurzeit durch. Der soll für sein Anzeigenblättchen über Taubenzüchter berichten. Bei einem Formel-1-Rennen hat der nichts zu suchen.«

»Und warum ist er bei Ihnen unten durch?«

»Der Kerl wildert in meinem Revier. Sie wissen, wegen der Schokoladenfabrik. Ich glaube, der will mich austricksen. Während ich mich um die schwachsinnigen Briefe und die beschissenen Pflastersteine kümmere und keine Ruhe finde, recherchiert der munter drauflos.«

Böhnke stutzte kurz. War das der Grund für die Aktionen der letzten Wochen? Waren sie reine Ablenkungsmanöver gewesen?

Und da war noch eine Sache, über die er Bahn informieren musste. Aber dafür wollte er eine passende Gelegenheit abwarten.

Trotz seiner abschweifenden Gedanken ließ er sich das Brötchen und den Kaffee schmecken. Dennoch kam er sich fehl am Platze vor. Die meisten Besucher waren fast nur salopp, aber dennoch gut gekleidete Männer jenseits der 30. Frauen waren meistenteils als dauerlächelnde, höfliche Hostessen im Zelt unterwegs, um irgendwelche Wünsche zu erfüllen, während die Männer über Motoren, Rennstrecken oder ihre nächsten Fahrzeuge fachsimpelten. Das war nicht seine Welt, beschloss Böhnke für sich, und auch nicht Bahns, wie er glaubte. Dafür war dessen Geldbeutel wahrscheinlich nicht genügend gefüllt. Gelangweilt blickte Böhnke aus der Fensteröffnung in der Plastikwand hinaus und stockte. Er schaute noch einmal genau hin, dann stieß er Bahn an.

»Kommen Sie!« Er trieb er ihn zur Eile an. »Wir haben gleich ein interessantes Treffen, glaube ich.«

Hastig verschlang der Journalist das Mettbrötchen und hastete hinter Böhnke her. »Was haben Sie bloß?«

Stumm zeigte Böhnke auf den Weg zwischen den Zelten und dem Garagengebäude. »Kennen Sie die?«

Bahn staunte ihn mit offenem Mund an. »Das hätte ich nun wirklich nicht gedacht.«

Mit einigem Abstand folgten sie den beiden, die zur Niederlassung von BMW gingen. Das Paar ließ sich an einem freien Tisch nieder, nachdem sie sich am Buffet mit Speisen und Getränken versorgt hatten.

»Jetzt ist die Zeit gekommen, um zu handeln, mein Freund«, sagte Böhnke entschlossen. Zielstrebig steuerte er den Tisch an.

»Sie gestatten?«, fragte er und setzte sich, ohne auf eine Antwort zu warten. Es wunderte ihn nicht, dass der Mann erbleichte und auch die Frau irritiert schluckte.

»Darf ich vorstellen?«, fragte er übertrieben höflich. »Das ist Helmut Bahn. Und das sind Anton Theberath und seine Schwägerin Elisabeth Theberath. Schön und überraschend zugleich, Sie hier zu sehen.«

Böhnke gab sich ausgesprochen rücksichtsvoll, wenngleich er sich über die Dreistigkeit wunderte, mit der sich das Paar in der Öffentlichkeit und dann auch noch auf dem Nürburgring zeigte. Sie mussten doch damit rechnen, dass man sie hier erkennen würde. Aber anscheinend war die Eitelkeit, als VIP beim Formel-1-Rennen eingeladen zu werden, so groß, dass manche Bedenken beiseitegeschoben wurden.

»Die Freude ist ganz unsererseits«, erwiderte Theberath schließlich. Er grüßte auch Bahn mit einem Händedruck. »Müsste ich Sie kennen?«

Bahn war perplex. Böhnke antwortete an seiner Stelle. »Sie sollten ihn kennen. Immerhin saß er in dem Wagen, den Ihr Bruder überholte, als es den …«, er unterbrach sich kurz, »soll ich Unfall oder doch besser Anschlag sagen, gab?«

»Ich verstehe Sie nicht«, meinte Theberath unbeeindruckt. »Sie stehlen uns nur die Zeit. Wir wollen das Rennen genießen und ein wenig die Trauer vergessen. Das ist doch wohl nicht verboten, oder?«

»Sie wollen nicht verstehen«, verbesserte Böhnke mit einem grimmigen Lächeln. »Aber das wundert mich nicht. Sie meinen, so abgezockt zu sein, dass Sie über den Dingen stehen.«

»Muss ich mir das antun?«, mischte sich die Frau schnippisch ein.« Sie wirkte nicht wie eine trauernde Witwe. Sie trug elegante, helle Sommerklamotten statt der eigentlich angebrachten gedeckten Kleidung, wenn Böhnke seine Maßstäbe an Tod und Verlust des geliebten Menschen anlegte. »Anton, lass uns gehen!«

»Gehen Sie ruhig«, schlug Böhnke ironisch vor. »Am besten gleich zur Polizeistation hier am Ring. Er kramte in seiner Jacke und holte einen Brief hervor, den er am Freitag in der Post vorgefunden hatte.

»Den können Sie gleich mitnehmen. Das wird einige unangenehme Fragen aufwerfen, könnte ich mir denken.« Er reichte den Umschlag der lustigen statt der trauernden Witwe, die ihn öffnete, den Brief studierte und ihn danach energisch zerriss.

»Was soll das? Das nützt Ihnen doch gar nicht«, meinte Böhnke gelassen. »Die Fakten können Sie nicht aus der Welt schaffen, die sind da und können jederzeit wieder vorgelegt werden.«

»Welche Fakten?« Bahn versuchte, irgendwie einen Überblick zu bekommen.

Böhnke nickte ihm kurz zu und wandte sich dann wieder Elisabeth Theberath zu.

»Fakt eins ist: Sie, Frau Theberath, sind Inhaberin des

Reisegutscheins gewesen, den Wolfgang Schulz beim Preisschießen in Schalkenmehren gewonnen hat«, klärte er auf. »Fakt zwei ist: Diesen Gutschein für zwei Personen hat Elisabeth Theberath in einem Reisebüro in Daun eingelöst. Und Fakt drei: Sie hat die Reise nach Mallorca gemeinsam mit Anton Theberath gemacht.« Böhnkes Blick wurde finster. »In gewisser Weise kann man von Flitterwochen sprechen, nachdem es niemanden mehr gab, der die Liebe stören konnte.«

Theberath sprang wütend auf. »Das ist ja die Höhe! Sie sind verrückt. Ich habe genug.«

Böhnke blieb gelassen. »Vielleicht bin ich verrückt. Aber ich werde meine Geschichte spätestens morgen der Polizei mitteilen. Dann können Sie sich ja dort erklären.« Er breitete gönnerhaft die Hände aus. »Aber ich erzähle Ihnen auch gerne selbst meine Geschichte. Dann sind Sie nicht mehr so überrascht, wenn Sie eine Vorladung bekommen.«

»Ich will Ihre schwachsinnige Geschichte nicht hören!«, brauste Theberath auf.

»Ich auch nicht«, ergänzte seine Schwägerin.

»Ich aber«, meldete sich Bahn, der sich in seiner passiven Rolle äußerst unwohl vorkam, vor allem, weil er immer noch nicht alles verstand.

»Wir gehen«, sagte Theberath entschieden.

»Sie bleiben!«, herrschte ihn Böhnke an. »Sie bleiben oder ich lasse Sie hier und jetzt auf der Stelle verhaften.« Er wunderte sich über die Autorität, die er versprühte. Er hätte das Paar niemals festhalten können und bei der Polizei wahrscheinlich auch kein Gehör gefunden. Aber das brauchte ja niemand zu wissen. Er hatte sein Ziel erreicht und Theberath verunsichert.

»Dann lassen Sie mal hören«, höhnte der Mann, während er sich wieder an den Tisch setzte. »Aber machen Sie schnell. Ich bin nämlich nicht wegen einer Märchenstunde hier, sondern wegen eines spannenden Autorennens, Herr Böhnke.«

24.

Böhnke fixierte Theberath streng, dann nahm er die Frau ins Visier. Sie konnte seinem Blick nicht standhalten und schaute betreten an ihm vorbei. Unruhig spielte sie mit ihren Händen, während Theberath seine Arme aufgestützt und das Kinn auf die gefalteten Hände gelegt hatte. Er gähnte ungeniert.

Böhnke schmunzelte und nippte an dem Wasserglas, das eine Bedienung ihm gebracht hatte.

»Wie die Geschichte angefangen hat, weiß ich ebenso wenig, wie ich den Zeitpunkt benennen kann. Aber ich weiß, dass sie angefangen hat. Irgendwann meinten Sie, Frau Theberath, Ihr Schwager Anton sei Ihnen lieber als Ihr Gatte Berthold. Und Sie, Herr Theberath, Sie glaubten, dass Ihre Schwägerin besser mit Ihnen liiert sei als mit Ihrem Bruder. Ob Ihre Affäre in einer Besenkammer oder auf dem Rücksitz eines Autos begann, ist mir dabei völlig egal. Aber Sie haben eine Affäre begonnen, die sich wohl zu einer Liebesbeziehung entwickelte. Wie dem auch sei: Berthold Theberath stand Ihnen und Ihrer Beziehung jedenfalls im Wege. Er musste weg. Und so entwickelten Sie einen Plan, ihn zu töten. Dabei war es Ihnen ausgesprochen hilfreich, den ebenso zielsicheren wie tumben Wolfgang Schulz für sich zu gewinnen. Zum Schein suchten Sie seine Nähe, wenn ich es einmal so allgemein ausdrücken darf, Frau Theberath. Ich könnte auch sagen, Sie haben ihm falsche Hoffnungen gemacht.« Böhnke legte eine Pause ein und nahm einen kräftigen Schluck.

»Beim 24-Stunden-Rennen auf den Nürburgring war es dann so weit. Schulz schoss mit seinem Spezialgewehr ...«

Böhnke unterbrach und richtete sich an den staunenden Bahn. »Sie müssen wissen, dass Schulz unehrenhaft aus der Bundeswehr entlassen wurde und mit ihm auch ein Spezialgewehr für Scharfschützen verschwand.«

Er räusperte sich. »Schulz schoss also auf dem Nürburgring an der sehr stark frequentierten Stelle, an der es am wenigsten auffiel, auf den Wagen und verursachte dadurch den Unfall, bei dem Berthold Theberath starb.«

»So ein Schwachsinn!«, schnaubte Theberath. »Das ist unausgegorene Kacke. Haben Sie etwa vergessen, dass in Spa auf mich geschossen wurde und ich ursprünglich auf dem Ring zu dem Zeitpunkt in dem Wagen sitzen sollte?«

»Selbstverständlich nicht«, entgegnete Böhnke mit aufreizender Lässigkeit. »Das waren zwei Ihrer Ablenkungsmanöver. Der Anschlag in Spa war nur fingiert. Ich glaube sogar, dass es dort gar keine Schüsse gegeben hat.«

»Und das Einschussloch im Heck? Das ist wohl Ardennenhexerei, was?«

»Vorher in Ihrer Werkstatt angebracht, wenn ich es so sagen darf. Sie haben es vor dem Rennen kaschiert und Ihrem Bruder verständlicherweise nichts davon gesagt. Während des Rennens hat Schulz vielleicht sogar geschossen, aber dann nur mit Platzpatronen.«

»Warum sollte Schulz solch einen Schwachsinn mitmachen?«

»Wer weiß, was Sie ihm versprochen haben?«

Böhnke lächelte die trotz Sonnenbräune blasse Witwe an. »Und wer weiß, was Sie ihm versprochen haben für diesen kleinen Scherz?«

Er wandte sich Bahn zu. »Um es Ihnen kurz zu erläutern. Schulz ist beim Militär zum Scharfschützen ausgebildet worden. Was übrigens Anton Theberath wusste, da sie sich aus ihrer gemeinsamen Bundeswehrzeit kannten.«

Er richtete seinen Blick wieder auf den Mann, der sich grinsend zurückgelehnt hatte.

»Nach dem fiktiven Anschlag in Belgien kam es dann zum tatsächlichen auf dem Nürburgring. Sie haben absichtlich kurz vor dem Rennbeginn den Platz im Wagen mit Ihrem Bruder getauscht, wahrscheinlich haben Sie ihm eine kurzfristige Übelkeit oder etwas Ähnliches vorgegaukelt. Nach der Startphase hat sich Schulz dann an die Strecke begeben, was niemandem bei dem hektischen Treiben im Fahrerlager und der Boxengasse auffiel, und die Schüsse abgefeuert. Er war von Ihnen per Funk oder Handy bestens darüber informiert, auf welchem Streckenteil sich Ihr Bruder befand und wann er an der für Schulz günstigen Passage vorbeikommen musste.«

»Sie reden einen Stuss!«, blaffte Theberath. »Da kann ich noch nicht einmal darüber lachen.«

»Sollen Sie auch nicht, Herr Theberath.« Böhnke wollte fortfahren, doch meldete sich räuspernd Bahn.

»Entschuldigung, was habe ich denn mit dieser Sache zu tun? Oder bin ich außen vor? Ich habe doch auch einen Schuss abgekriegt.«

»Zu Ihrer Rolle in diesem hinterhältigen Spiel wollte ich gerade kommen, Herr Bahn.« Böhnke rutschte auf seinem Stuhl umher.

»Der zweite Schuss, der Ihren Wagen traf, war sicherlich auch für den anderen Wagen bestimmt. Sie hatten nur das Pech, erstens an dieser Stelle von Theberath überholt zu werden und zweitens noch den Schuss mitbekommen zu haben, weil Theberaths Wagen schneller schleuderte, als Schulz gedacht hatte. Selbstverständlich hat Anton Theberath wie alle anderen Rennfahrer auch gesehen, dass Sie am Steuer des Wagens hinter Berthold Theberath saßen. Über Ihre Startnummer konnte man rasch herausfinden, wer gefahren ist. Und übers Internet erfuhr Theberath sehr schnell, dass Sie als Journalist tätig sind und in der Boisdorfer Siedlung leben. Er hat Ihnen einen Drohbrief geschrieben, nicht wissend, dass es schon einen anderen Ganoven gibt, der Sie verunsichern wollte. Theberath hat Sie auch zusammengeschlagen, glücklicherweise nur krankenhausreif, aber nicht tot. Er hätte Sie garantiert getötet, wenn er nicht gestört worden wäre. Und warum? Um abzulenken. Jeder hätte vermutet, dass die Anschläge auf Sie mit Ihrer beruflichen Tätigkeit zu tun haben.«

»Schwachsinn«, bellte Theberath, während seine Schwägerin nervös mit den Augen zuckend Böhnke anblickte.

»Ich glaube nicht, dass es Schwachsinn ist. Vielleicht finden meine Kollegen den Baseballschläger oder eine Keule bei Ihnen in Vaalserquartier oder in Renesse.«

Theberath zuckte nur leicht, dann grinste er wieder frech.

»Ihr Pech war«, fuhr Böhnke unaufgeregt fort, »dass der andere Bedroher von Bahn geschnappt wurde, und damit schnell klar war, dass es einen zweiten gab. Das war für mich der erste Hinweis darauf, dass möglicherweise der Unfall auf dem Nürburgring und Sie etwas damit zu tun haben könnten.« In aller Seelenruhe griff er zu seinem Mineralwasserglas und nahm einen Schluck.

Theberath und die Witwe schwiegen ebenso wie Bahn; für Böhnke ein Zeichen, dass er mit seiner Einschätzung nicht völlig danebenlag. Theberath hatte es offenbar schon aufgegeben, mit Beleidigungen zu widersprechen.

»Ich muss Ihnen schon sagen, Sie sind ein guter Schauspieler«, meinte er zu dem Mechaniker. »Wie Sie eben reagiert haben, als ich Ihnen Bahn vorstellte, war echt gut. Man hätte tatsächlich glauben können, Sie würden ihn nicht kennen.«

Theberaths Kommentar bestand in einem hämischen Auflachen, ehe er wieder frech grinste.

»Nachdem Sie Ihren Bruder und Ehemann aus dem Weg geräumt hatten, mussten Sie Ihren Handlanger Schulz loswerden. Das war dann Ihr Part, Frau Theberath.«

Böhnke wandte sich der Frau zu, die erschrocken zusammenzuckte.

»Äh. Wie? Was?«, stammelte sie.

»Sie sind Schulz in den Urlaub gefolgt, waren mit ihm beim Schützenfest in Schalkenmehren, wo er so dreist und tollkühn war, an einem Preisschießen teilzunehmen, und er war dumm genug, den Hauptgewinn auf Sie zu übertragen. Das hätten Sie nicht zulassen dürfen, aber Sie hielten sich bewusst im Hintergrund, um nicht zu sehr aufzufallen. Sie nutzten seinen Hang zum Alkohol brutal aus, feierten gewissermaßen mit ihm den Preis und duldeten es, dass er in das Maar torkelte und darin ertrank. Vielleicht haben Sie ja auch nachgeholfen und ihn angestoßen, was aber nicht zu beweisen ist, da Sie sich geschickt zurückhielten und nicht erkannt wurden. Dann sind Sie nach Aachen zurückgefahren. Was mit dem Wagen von Schulz geschehen ist, weiß ich nicht. Vielleicht haben Sie ihn verschrottet oder, was dumm wäre, verkauft.«

»Wie soll Lissi denn dahin gekommen sein in den Ort, dessen Namen ich nicht einmal kenne?«, unterbrach

Theberath schroff. »Sie hat ja nicht mit Wolle Urlaub gemacht, sondern war in Aachen bei mir.«

»Sie sind und bleiben ein Schauspieler«, meinte Böhnke. »Sie selbst haben Ihre Schwägerin nach Schalkenmehren gebracht und sind am Samstagabend nach Aachen zurückgefahren.«

»Wenn Sie meinen«, entgegnete Theberath lässig. »Dann machen Sie mal weiter mit Ihrer Märchengeschichte.«

»Gerne«, sagte Böhnke höflich. »Ihr Bruder war tot, Ihr Mechaniker im Maar ertrunken. Der Weg für Sie und Ihre Schwägerin war frei.« Er schüttelte den Kopf. »Warum Sie dann ausgerechnet zusammen so schnell nach Mallorca wollten, bleibt wohl Ihr Rätsel. Da waren die Triebe wohl stärker als die Vernunft. Und dafür auch noch den Reisegutschein zu nutzen, zeugt entweder von großer Dummheit oder von törichtem Geiz. Aber es ist immer dasselbe, wenn der Bauch den Kopf mattsetzt und das Bett wichtiger wird als der Schreibtisch.«

»Schwachsinn!«

»Wollen Sie etwa sagen, dass Sie nicht mit Ihrer Schwägerin zusammen sind?«, mischte sich Bahn zu Böhnkes Unwillen ein.

»Was ist daran schlimm?«, sagte Theberath lässig. »Erst nach Berts Tod haben wir uns zusammengetan. Warum sollen wir allein bleiben?«

»Dann passen Sie bloß auf, dass Sie auch zusammenbleiben und es Ihnen nicht so ergeht wie Ihren Vorgängern«, meinte Böhnke kühl.

»Wie?«

»Bei der Vergangenheit Ihrer Schwägerin in Dortmund.« Er legte eine Kunstpause ein. »Da weiß ich nicht, was Ihnen noch blüht.«

»Was meinen Sie? Sie spinnen.«

Böhnke lächelte die Frau beinahe schon milde an. »Sie werden nicht verhindern können, dass ich mich in Dortmund bei meinen Kollegen der Kripo über Sie informiere. Die haben bestimmt Experten, die sich im Rotlichtmilieu oder mit ungeklärten Morden an alleinstehenden Männern auskennen.«

»Das ist Verleumdung. Ich lasse mich nicht von Ihnen beleidigen«, keifte die Frau. Sie sprang auf. »Ich habe die Schnauze voll. Anton komm!«

»Keine Hektik«, knurrte Böhnke. »Sie können gleich gehen, wenn ich Ihnen gesagt habe, dass die Polizei intensiv nach dem Gewehr forscht, mit dem Schulz geschossen hat. Sie glaubt inzwischen nämlich auch, dass es ein Attentat gegeben hat, und ist auf Spuren gestoßen, die sie dazu bringen, in den nächsten Wochen intensiv nach dem Gewehr zu suchen. Übrigens, bevor ich es vergesse zu erwähnen: Schulz hatte ein Projektil der Spezialmunition für das Gewehr als Amulett an einem Halskettchen hängen. Meine Kollegen glauben nicht, dass er das Gewehr vernichtet hat. Dafür ist er zu sehr Waffennarr und ist das Gewehr zu wertvoll und selten. Der Waffennarr wollte es bestimmt behalten und hat es verschwinden lassen kurz nach der Tat. Da bleiben nicht viele Möglichkeiten.«

»Dann sollen sie mal suchen. Viel Erfolg dabei«, höhnte Theberath. »Leben Sie wohl, Sie Spinner.« Er drehte sich noch einmal um, als er mit seiner Schwägerin zum Zeltausgang eilte.

»Sie können nichts beweisen, Sie Idiot.«

Böhnke sah dem Paar gelassen nach.

»Wir folgen ihnen«, befahl er entschlossen und erhob sich.

Bahn lief hinter ihm her.

»Was war das jetzt? War das so oder haben Sie konstruiert?«

»Teils, teils«, antwortete Böhnke. »Es gibt einige wenige Fakten, einige Vermutungen und einige Konstruktionen. Und eine durchaus mögliche Verknüpfung all dieser Dinge ist meine Version des Geschehens, die ich für sehr wahrscheinlich halte.«

»Und dann lassen Sie die beiden Typen da laufen? Die hätten mich beinahe umgebracht.«

»Kann ich sie festhalten? Es gibt nichts, was wir beweisen können.«

»Woher wissen Sie denn von der Vergangenheit von Lissi im Rotlichtmilieu in Dortmund?«

»Moment, mein Freund«, bremste ihn Böhnke, der das etliche Meter vor ihnen durch die Menschenmenge laufende Paar nicht aus den Augen verlieren wollte. »Ich habe mit keinem Wort gesagt, dass Elisabeth Theberath dort bekannt ist. Sie haben nicht richtig zugehört. Ich habe lediglich gesagt, dass sich meinen Kollegen einmal im dortigen Milieu umhören könnten. Dass ich damit Elisabeth Theberath in dieses Milieu stecke, haben Sie konstruiert.« Er hielt Bahn am Ärmel fest. »Sehen Sie, es wirkt schon.«

Sie beobachteten das Paar, das wild gestikulierend aufeinander einredete.

»Ich habe Zwietracht gesät. Jetzt wird es sich zeigen, ob es Liebe ist oder Berechnung.«

Bahn sah ihn verblüfft an. »Dann stimmt das gar nicht?«

»Woher soll ich das wissen?« Böhnke betrachtete durchaus mit Genugtuung, wie Elisabeth und Anton Theberath immer intensiver miteinander stritten.

»Das ist unser erster Pluspunkt«, freute er sich.

»Und gibt es einen zweiten?«

»Hoffentlich.«

Bahn dachte kurz nach. »Kann es sein, dass die Geschichte mit dem Gewehr auch nur konstruiert ist?«

Böhnke grinste. »Lassen wir uns überraschen. Wir folgen ihnen.«

25.

Das Paar hatte es plötzlich sehr eilig. Das bevorstehende Autorennen schien sie überhaupt nicht mehr zu interessieren. Statt zu ihren Tribünenplätzen liefen die beiden zu dem Parkplatz, auf dem auch Bahn seinen Wagen abgestellt hatte. Sie stiegen in einen alten Kleinwagen, der ebenso wenig in die Autogalerie passte wie der Corsa des Journalisten.

»Wo wollen die hin?«, entfuhr es Bahn. Er wunderte sich, mit welchem Geschick es Böhnke verstanden hatte, den beiden unauffällig zu folgen, obwohl sie sich mehrfach unruhig umgeschaut hatten.

»Das werden wir erfahren, wenn wir hinter ihnen herfahren.«

»Muss das sein?«, stöhnte Bahn. »Wir wollten doch das Rennen sehen.«

»Wollen Sie wissen, wer Sie töten wollte, oder wollen Sie weiter in der Angst leben, noch einmal angegriffen zu werden. Und dann weiß ich nicht, ob Sie diesen Angriff überleben.«

»Glauben Sie ...?«

»Ja, das glaube ich«, unterbrach ihn Böhnke streng. »Und nun bewegen Sie Ihren Hintern, damit die uns nicht abhauen. Ich will wissen, wohin die beiden wollen.«

Der Wagen mit dem niederländischen Kennzeichen schoss mit quietschenden Reifen vom Parkplatz, zur großen Verwunderung der Wächter. Sie hatten wohl noch nie während ihrer Tätigkeit miterlebt, dass so kurz vor einem Formel-1-Rennen jemand wieder den Nürburgring verließ. Ihr Staunen wurde noch größer, als Sekunden später Bahn und Böhnke grüßend an ihnen vorbeifuhren.

»Passen Sie auf, dass Sie nicht entdeckt werden«, meinte der Kommissar. »Nicht zu nahe auffahren, aber auch nicht zu weit entfernt.«

»Wollen Sie«, brummte Bahn. »Ich fahre, Sie passen auf und sagen mir, wie ich mich zu verhalten habe. Sie sind der Bulle, ich nur der Schmierfink.«

Böhnke hätte ihm den Bullen übel genommen, wenn er sich nicht selbst als Schmierfink bezeichnet hätte. So waren sie gewissermaßen quitt.

Böhnke wusste nicht, wohin die Fahrt führen sollte, die Theberath begonnen hatte. »Sie müssen verdammt weit von den beiden weg bleiben, sonst bekommen die mit, dass wir hinter ihnen her sind.« Es kam ihm fast vor, als führen sie auf den Straßen im Kreis, immer in der Nähe der Rennstrecke. Die Straßen waren fast leer, was die Verfolgung nicht erleichterte. Er konnte nur hoffen, dass Theberath in seiner Hektik nicht zu genau zurückblickte. Erleichtert war er, als sie endlich von einem anderen Wagen überholt wurden, der sich zwischen die beiden Fahrzeuge setzte, die sich nicht sonderlich an Geschwindigkeitsbegrenzungen hielten.

Konzentriert fuhr Bahn hinterher. »Wie gut, dass der eine noch lahmere Ente fährt als ich. Wenn seine Kiste etwas schneller wäre, würde der mich ruck, zuck abhängen. Aber so.« Er blickte kurz zu Böhnke und dann in die bewaldete Gegend.

»Können Sie mir vielleicht verraten, wo der hinwill? Wir gondeln im Prinzip immer in der Nähe des Nürburgrings umher. Sucht der was oder was ist los?«

Theberath würde wohl zwei Dinge im Sinn haben, erläuterte Böhnke seine Vermutung. »Zum einen möchte er wohl sicher sein, dass ihm niemand folgt. Zum anderen sucht er wahrscheinlich einen Waldweg oder Ähnliches, der in der Nähe des Rings liegt. Ich kann mir gut vorstellen, dass Schulz hier irgendwo das Gewehr versteckt hat. Viel Zeit hatte er ja nicht nach dem Anschlag. Er musste schnell wieder an der Box zurück sein nach dem angeblichen Unfall. Sonst wäre er wohl aufgefallen.« Beruhigend legte er Bahn die linke Hand auf den Unterarm.

»Sie machen das gut. Ich glaube nicht, dass Theberath uns erkannt hat.« Er lächelte grimmig.

»Theberath mag zwar langsam fahren. Aber eben im BMW-Zelt, da war er definitiv zu schnell.«

»Wieso?«

»Ich wollte ihm nämlich noch etwas sagen. Das Wichtigste, weshalb ich hinter ihm her bin?«

»Und was ist das?«

»Sein Versuch, auch mich zu verängstigen und zugleich abzulenken, indem er meine Frau schädigt, war die größte Unverschämtheit, die er begehen konnte. Dafür wird er büßen müssen.«

»Wie kam er denn auf Sie?« Kurz blickte Bahn nach rechts auf den gelassen und ruhig wirkenden Kommissar.

»Über den Nürburgringnewsletter hat er von meinem Hauptgewinn in der Erlebnis-Welt gelesen und von meinem Interesse an Ihrem Rennunfall. Als ich zum ersten Mal bei der Werkstatt in Vaalserquartier war, hat er mich wohl aus seinem Haus heraus beobachtet und sich das Kennzeichen notiert. Er selbst hat mir erklärt, wie leicht es für ihn ist, anhand des Kennzeichens den Halter eines Fahrzeuges zu ermitteln. Er ging davon aus, dass der Wagen meiner Frau auch mein Wagen sei, und hat sie deshalb schikaniert. Er wollte wohl ablenken und mich auf eine andere Fährte führen.«

»Und welche?«

»Nun, ich sollte wohl glauben, dass der Kerl, der es auf Sie abgesehen hat, es jetzt auch auf mich absehen würde.« Böhnke lächelte grimmig. »Ganz so abwegig ist es nicht, einen Journalisten zu bedrohen. Es gibt wohl genügend Leute, die nicht unbedingt gut auf diese Berufssparte zu sprechen sind. Dazu gehörte dann auch die Attacke mit den Pflastersteinen auf Ihr Haus und wenig später auf die Apotheke. Die Reihenfolge der Steinwürfe spricht dafür, dass Theberath dahintersteckt. Erst Düren, dann Aachen.«

Bahn schwieg dazu. Er hatte Mühe, bei dem leicht anwachsenden Verkehr die Balance zu halten zwischen zu nah und zu fern.

Lange Minuten fuhren sie schweigend durch die dicht bewaldete Region auf den Straßen abseits der Ortschaften, ohne dass sich etwas änderte.

»Was hat der Kerl bloß vor?«, knurrte Bahn.

»Garantiert etwas Plötzliches und Unerwartetes«, antwortete Böhnke mit scheinbarer Gelassenheit.

Sie waren auf einer langen Geraden unterwegs, leicht ansteigend und beiderseits von Wald umsäumt, sodass die Sonne Mühe hatte, die Straße hell zu bescheinen. Es war still, von den Motorengeräuschen auf der Rennstrecke war nichts zu vernehmen.

Theberaths Wagen verschwand hinter einer Kuppe und für etliche Sekunden aus ihrem Blickfeld. Intuitiv beschleunigte Bahn und erreichte ebenfalls die Kuppe, hinter der die Straße wieder elend lange geradeaus führte.

»Der ist weg!«, jaulte Bahn in einer Mischung aus Wut,

Verzweiflung und Fassungslosigkeit auf und stieg vehement auf die Bremsen. »Ich sehe den Scheißkerl nicht mehr.«

Er hatte recht, wie Böhnke zugeben musste. Er blieb sachlich und kühl. Er blickte nach links, erkannte dort einen schmalen, an der Zufahrt zur Straße fast zugewachsenen Weg, auf dem entfernt etwas kurz aufblinkte.

»Links!«, brüllte Böhnke. »Auf den Waldweg!«

Vielleicht irrte er, aber es war wohl die einzige Chance. Wenn das Blinken nicht von Theberaths Wagen ausgegangen war, dann hatte er sie abgehängt.

Mit einem heftigen Ruck riss Bahn sein Fahrzeug nach links und schoss viel zu schnell auf den unbefestigten Weg.

»Weiter so und die Achse kracht«, schimpfte er mit sich selbst.

»Langsamer, mein Freund«, mahnte Böhnke. »Und denken Sie daran, nach allen Seiten die Augen offen zu halten. Nicht, dass uns die beiden gleich entgegenkommen und wir können uns nicht mehr verstecken.«

Sie waren schon sehr weit in den dichten Wald hineingefahren, als sie ein Hinweisschild lasen: ›Schranke in 500 Metern‹.

»Was heißt das?«, fragte Bahn verblüfft.

»Was darauf steht«, antwortete Böhnke, um sachlich zu ergänzen: »Da geht es offenbar nicht mehr weiter, sodass wir davon ausgehen müssen, dass Theberath, falls er vor uns unterwegs ist, anhalten muss und umkehrt. Was wiederum für uns bedeutet, dass wir uns im Wald unsichtbar machen müssen.« Er deutete nach rechts.

»Hier ist eine schmale Einbuchtung. Da können wir uns verbergen.«

Bahn folgte dem Vorschlag mit Unbehagen. »Wir müssen auch noch mal hier raus«, grummelte er.

»Und jetzt?«, fragte er, nachdem er den Wagen abgestellt hatte.

»Jetzt steigen wir aus und gehen weiter in Richtung Schranke. Aber so, dass uns niemand bemerkt.«

Entschlossen stapfte Böhnke durch das Unterholz. Notgedrungen lief Bahn hinter ihm her.

»Wohin wollen Sie?«, flüsterte er, als er hinter Böhnke warten musste, weil diesem die Luft knapp geworden war.

Das fehlte ihm noch, dass sich ausgerechnet jetzt die vermaledeite Krankheit meldete, fluchte er innerlich.

»Immer in Richtung Schranke«, keuchte er. »Ich hoffe, wir stoßen bald auf die beiden.« Er pustete durch und marschierte weiter.

Beinahe wären sie zu schnell gewesen und auf eine kleine Lichtung gestolpert, die sich urplötzlich vor ihnen öffnete. Theberaths Wagen stand dort. Der Mann und seine Schwägerin hockten auf der Erde, er grub mit einem Klappspaten, während sie mit den Händen Erdreich zur Seite schob.

»Bingo«, brummte Böhnke keineswegs triumphierend. »Jetzt bin ich gespannt, wie es weitergeht. Wetten, dass sie gleich einen Sack aus dem Loch holen?«

»Mit Ihnen wette ich nicht, Herr Böhnke. Sie gewinnen ja doch immer. Aber was machen wir, wenn die jetzt tatsächlich mit einem Sack abhauen?«

»Dann gibt es für uns nur noch die Flucht nach vorne. Dann müssen wir verhindern, dass sie verduften.«

»Und wie?« Bahn schaute argwöhnisch auf Böhnke. »Haben Sie etwa eine Waffe?«

»Nein, mein Freund. Aber Sie schnappen sich gleich einen Knüppel und schlagen drauflos, wenn es sein muss.«

»Hm.« Der Gedanke war Bahn nicht geheuer. »Wenn ich richtig vermute, befindet sich in dem Sack wahrscheinlich ein sehr gutes Gewehr. Da soll ich mit einem Knüppel …?«

»Wenn sich in dem Sack, wie Sie richtigerweise vermuten, ein sehr gutes Gewehr befindet, so können Sie davon ausgehen, dass Schulz die Waffe ordnungsgemäß verpackt hat, was bedeutet, dass er sie selbstverständlich entladen und eingeölt hat. Immerhin ist das Gewehr ja sein bestes Stück gewesen.«

Er legte den Zeigefinger an den Mund und machte Bahn damit deutlich, still zu bleiben.

Sie beobachteten das hektische Paar, das endlich fündig geworden war. Böhnke hatte mit seiner Annahme recht behalten. Eifrig zupfte Theberath an einem verschnürten Plastiksack, entnahm ihm ein Gewehr und legte es zurück, nachdem er es ausgiebig betrachtet hatte. Er packte den Sack in den Kofferraum seines Wagens, schaufelte das Loch wieder zu, verfestigte die Erde und fuhr mit seinem Auto mehrmals über die Stelle.

»Und jetzt?«, flüsterte Bahn.

»Und jetzt lassen wir die beiden Turteltauben fahren«, antwortete Böhnke in aller Seelenruhe.

»Wenigstens haben wir Beweisfotos«, meinte Bahn, der aufatmete, weil Böhnke ihn doch nicht mit einem Knüppel losschicken wollte. Er zeigte grinsend sein Handy. »Ich habe schöne Fotos gemacht.«

Auch Böhnke griff nach seinem Mobiltelefon. »Wir haben tatsächlich Empfang hier«, staunte er. Ohne Regung beobachtete er, wie Anton und Elisabeth Theberath von der Lichtung auf den schmalen Waldweg zurückfuhren und mit laut aufheulendem Motor davonpreschten.

»Wenn Sie wollen, können Sie den Schauplatz besichtigen«, schlug er Bahn vor. »Vielleicht finden Sie ja noch etwas, wenn Sie das Loch wieder aufbuddeln.« Er schmunzelte, als er Bahns verstörten Gesichtsausdruck wahrnahm. »Wir werden ohnehin hier warten, bis die Kollegen kommen. Was haben wir davon, wenn wir versuchen, hinter Theberath herzurasen? Das bringt nichts.«

In aller Ruhe tippte er die Nummer des Notrufs ein. »Ich hätte eigentlich gedacht, dass er das Gewehr hierlässt. Hier war es doch vor allen Augen sicher. Wie oft wohl wird diese Lichtung im Jahr überhaupt von Menschen betreten. Wahrscheinlich gar nicht. Einen besseren Platz für ein Versteck ganz in der Nähe des Nürburgrings hätte er nicht finden können. Jetzt belastet er sich sogar noch mehr als vorher. Bis jetzt hätte er behaupten können, nichts von der Existenz der Waffe zu wissen, nun hat er sie in seinem Besitz. Und selbst, wenn er sie entsorgt, haben wir Ihre Beweisfotos. Aber ich habe ihn verunsichert durch ein Ablenkungsmanöver. Er glaubt wohl, dass die Polizei hellhörig geworden ist«, mutmaßte er, während er auf eine Verbindung wartete. »Das Spiel mit den Ablenkungsmanövern kann ich garantiert besser als dieser Brudermörder.«

Stirnrunzelnd schaute er auf sein Handy. »Können Sie mir erklären, warum sich keiner meldet? Ist doch ein Notruf. Und ich habe ein Netz.«

»Und vielleicht sind wir doch in einem Funkloch«, entgegnete Bahn. »Ihre Netz-Anzeige stimmt nicht immer.« Er zeigte auf sein Gerät.

»Ich jedenfalls kann nicht anrufen. Jetzt haben wir den Salat. Wir lassen die Typen laufen und können noch nicht einmal Alarm schlagen.«

Böhnke ging nicht auf die Bemerkung ein. »Dann lassen Sie uns zum Auto zurückgehen. Irgendwann werde ich ja hoffentlich einen Empfang bekommen.« Ihn schien es nicht zu stören, das Pärchen ungehindert flüchten zu lassen.

»Die beiden Früchtchen kommen nicht weit. Ist doch nur eine Frage der Zeit, bis man sie erwischt. In unsere Nähe kommen die garantiert nicht mehr.« Er grinste. »Und das hat doch auch etwas Gutes. Sie und ich, wir werden nicht mehr mit Drohbriefen oder Steinwürfen belästigt. Darauf können Sie wetten.«

Gemächlich schlenderte Böhnke über den Weg zurück zum Wagen, immer wieder auf das Display seines Telefons blickend.

»Einmal muss es doch klappen«, brummte er, und endlich hellte seine Miene auf. »Ich bin durchgekommen«, sagte er leise zu Bahn.

Schnell gab er sich als Kriminalkommissar zu erkennen und bat um eine Verbindung mit dem zuständigen Kriminalkommissariat.

»Aha«, hörte Bahn seinen Partner nach einer längeren Pause erstaunt sagen. »Das ist schlecht. Ich gebe Ihnen meine Nummer und ich bitte Sie, meine Kollegen aufzufordern, mich dringend zurückzurufen. Ich stehe hier mitten in der Eifellandschaft und brauche deren Unterstützung.«

»Was ist?«, fragte Bahn.

»Was soll schon sein? Die haben keine Zeit für uns. Und wissen Sie, warum? Wegen des Rückreiseverkehrs vom Nürburgring. Da gibt es rundherum ein Verkehrschaos, da sind alle Kollegen mit der Regelung des Verkehrs beschäftigt.« Er schüttelte den Kopf, dann streckte er sich gähnend. »Ist aber nicht so dramatisch, die Sache hat sich nämlich erledigt.«

»Wieso?«

»Wie mir die Frau am Notfunk sagte, hat es vor wenigen Minuten einen grässlichen Verkehrsunfall gegeben. Ein Kleinwagen ist als Linksabbieger viel zu schnell und doch zu langsam aus einem Waldweg auf eine Umgehungsstraße gefahren und ist dabei voll von einem massiven Geländewagen erfasst worden, der viel zu rasant vom Ring zurück in seine Heimat fuhr. Der Fahrer war wohl noch im Rennfieber. Wie dem auch sei, die beiden Insassen des Kleinwagens mit niederländischem Kennzeichen, ein Mann und eine Frau, waren auf der Stelle tot.«

»Elisabeth und Anton Theberath«, sagte Bahn spontan.

»Darauf können Sie Gift nehmen.«

26.

Endlich meldete sich Böhnkes Handy. Nicht mehr lange, und es wäre dunkel geworden. Die Kollegen seien auf dem Weg zu ihnen, berichtete er anschließend Bahn. Er lehnte sich in den Beifahrersitz zurück und schloss die Augen.

Bahn tat es ihm hinter dem Lenkrad gleich. »Was meinen Sie? Hat es sich tatsächlich so abgespielt, wie Sie es rekonstruiert haben?«, fragte er.

»Ich weiß es nicht«, antwortete Böhnke. »Für mich zählt das Ergebnis. Ich kann mir vorstellen, dass es so gewesen sein könnte. Vielleicht waren einige Aspekte anders, aber das Geschehen dürfte sich grundsätzlich so ereignet haben. Wissen Sie, was das Schlimme ist, mein Freund?« Böhnke drehte den Kopf in Bahns Richtung.

»Vier Menschen sind tot, ein gehörnter Ehemann, ein einfältiger, missbrauchter Dummkopf und zwei Typen, die glauben, für ihre Liebe, oder was es auch immer sein soll, andere Menschen töten zu müssen.« Er seufzte. »Na ja. Jetzt ist die Geschichte vorbei und die Menschheit hat zwei Mörder weniger. Nicht zuletzt dank Ihres Kollegen aus der Eifel, der einen wichtigen Einfluss haben muss. Ihm habe ich den Brief aus dem Reisebüro zu verdanken.« Böhnke lächelte. »Und wir können sicher sein, dass uns niemand mehr bedroht, schikaniert oder gar tötet.«

Auch Bahn hatte den Kopf zu Seite gedreht. »Glauben Sie das?«

»Ja.«

Böhnke kletterte aus dem Wagen und stapfte zur Lichtung. Dort hatten inzwischen Polizisten mit der Untersuchung des Geländes begonnen.

»Wollen wir wetten, dass die Jungs noch zahlreiche Anhaltspunkte finden, die die Verbrechen aufklären?«, meinte er schmunzelnd. »Wahrscheinlich wird man auch noch irgendwo den Baseballschläger finden, mit dem Ihnen Theberath den Schädel einschlagen wollte. Nur, um von sich abzulenken.«

»Lassen Sie das Wetten sein. Mit Ihnen wette ich nicht. Sie haben ja doch wieder recht. Sie haben immer recht.«

»Ob ich recht habe oder nicht, das ist mir, ehrlich gesagt, im Moment egal.« Böhnke gähnte ungeniert mit offenem Mund. »Es wird Zeit für mich zu gehen. Meine Kollegen können sich morgen mit mir unterhalten. Ich will jetzt nur das eine: Ich will zurück nach Hause.«

Zurück zu seinem merkwürdigen Knopf, der der dritte von rechts und zugleich der dritte von links war, zurück zu seinem Hühnerstall, zurück zu Lieselotte – zurück nach Huppenbroich.

ENDE